Das Ostbüro der SPD

Von der Gründung bis zur Berlin-Krise

Von Wolfgang Buschfort

R. Oldenbourg Verlag München 1991

Die Deutsche Bibliothek – CIP-Einheitsaufnahme

Buschfort, Wolfgang:
Das Ostbüro der SPD : 1946–1958 / von Wolfgang Buschfort. –
München : Oldenbourg, 1991
   (Schriftenreihe der Vierteljahrshefte für Zeitgeschichte ; Bd. 63)
   ISBN 3-486-64563-3
NE: Vierteljahrshefte für Zeitgeschichte / Schriftenreihe

Gesamtherstellung: Appl, Wemding

ISBN 3-486-64563-3

Inhalt

Einleitung

Anfang 1946 gründete die SPD eine Organisation, die aufgrund ihrer Funktion im Osten Deutschlands über mehr als zwei Jahrzehnte hinweg zur Zielscheibe kommunistischer Agitation werden sollte: das Ostbüro. Entstanden auf Initiative Kurt Schumachers, hatte das Büro zunächst die Aufgabe, Ostflüchtlinge zu betreuen. Nachdem die SPD in der sowjetischen Besatzungszone (SBZ) 1946 zwangsweise mit der KPD zur Sozialistischen Einheitspartei Deutschlands (SED) vereinigt worden war, wandelten sich Auftrag und Bedeutung des Ostbüros entscheidend: Die Anlaufstelle für Flüchtlinge sollte nun Kontakt zu jenen Sozialdemokraten halten, die sich der Zwangsvereinigung widersetzten. Nachrichten aus dem Osten sollten in den Westen, sozialdemokratische Propaganda aus dem Westen in den Osten transportiert werden. Das Ostbüro entwikkelte sich so zu einer Organisation mit Geheimdienstcharakter, und seine Mitarbeiter waren zunehmend gezwungen, sich im Interesse ihrer Arbeit konspirativer Methoden zu bedienen.

Die bloße Existenz des Büros, das als Referat dem SPD-Parteivorstand direkt unterstellt war, löste in den fünfziger und sechziger Jahren bei den zuständigen Stellen im Osten Deutschlands hysterische Reaktionen aus. Seiner beträchtlichen Bedeutung zum Trotz ist es in der zeitgeschichtlichen Literatur bisher weitgehend vernachlässigt geblieben. Die Geschichte des Ostbüros der SPD ist ein blinder Fleck der Zeitgeschichtsforschung. Als Beispiel dafür kann ein Sammelband der Jungsozialisten von 1966 gelten. Darin kommen zwar etliche Personen zu Wort, die mit dem Ostbüro der SPD in enger Verbindung standen, auch Rudi Dux und Stephan Thomas, die das 20 Jahre lang bestehende Büro über 19 Jahre hinweg leiteten. Doch der Begriff „Ostbüro" taucht in ihren Beiträgen nicht ein einziges Mal auf[1]. Auch Autoren, die die Auseinandersetzungen zwischen SPD und KPD und ihre Zwangsvereinigung detailliert schildern, erwähnen das Ostbüro nicht oder nur am Rande. So beschreibt Peter Lübbe – im Zusammenhang mit den entsprechenden Agententheorien – ausschließlich die Rolle, die das Büro in bezug auf die Ereignisse des 17. Juni 1953 spielte[2]. Frank Moraw, der die Arbeit der illegalen Gruppen in der SBZ bis 1948

---

* Die Literatur wird in den Anmerkungen nur mit Kurztitel zitiert; die vollständigen Angaben finden sich im Literaturverzeichnis.
[1] Vgl. Verschwörung gegen die Freiheit.
[2] Vgl. Lübbe, Kommunismus und Sozialdemokratie, besonders S. 183 ff.

beleuchtet, stellt nur die Gründungsgeschichte des Ostbüros dar[3]. Frank Thomas Stößel hingegen nennt es in seiner Studie „Positionen und Strömungen in der KPD/SED 1945–1954" nicht einmal[4]. Publikationen von Mitarbeitern und Vertrauensleuten des Ostbüros, die in der SBZ (und in der späteren DDR) inhaftiert waren, bieten nur wenig zuverlässige Informationen über Kontakte der West-SPD zum Osten. Meist in Geständnisform und Großauflagen im Osten Deutschlands herausgebracht, enthalten sie zwar oft interessante Details, entstellen jedoch aus Propagandazwecken die genannten Vorgänge und Personen häufig bis zur Unkenntlichkeit[5].

Ähnlich verhält es sich mit den Veröffentlichungen ostdeutscher Gesellschaftswissenschaftler zur Geschichte des Kalten Krieges, die in den siebziger oder achtziger Jahren entstanden: Hans Teller etwa – er fügte zeitgenössische Propagandaparolen gegen das Ostbüro mit verkürzten Zitaten aus neueren Arbeiten zusammen – zeichnet so ein Bild, in dem das SPD-Ostbüro als ein nicht unwichtiges Rädchen im System des internationalen Großkapitals erscheint und sogar für den Koreakrieg mitverantwortlich war[6]. Wie er, schöpfen gelegentlich auch bundesdeutsche Autoren ihr Wissen – sofern sie sich nicht allein auf Mutmaßungen verlassen – aus Berichten über drei Entschädigungsprozesse, die ehemalige Vertrauensleute des Ostbüros ab 1966 gegen die SPD führten[7]. Allein Karl-Wilhelm Fricke gibt in seinen Büchern über den Widerstand gegen die entstehende Parteidiktatur in der SBZ und in der späteren DDR einen kurzen Einblick in Aufgaben und Arbeitsweise des Ostbüros der SPD[8]. Von den Hauptakteuren des Ostbüros liegen keine Memoiren vor. Zwar hatte Stephan Thomas diese mehrfach angekündigt, doch starb er im Juni 1987, ohne sein Vorhaben realisiert zu haben. Nur wenige Zeitzeugen erwähnten in ihren Autobiographien ihre kurzen Kontakte zum Ostbüro: so Kurt Grabe, Ernst Thape und Karl J. Germer[9]. Auch Organisationen, die mit dem Ostbüro vergleichbar sind, wurden von der Forschung bislang kaum beachtet. Lediglich über die „Kampfgruppe gegen Unmenschlichkeit" liegt inzwischen eine Monographie vor, die sich allerdings ausschließlich auf Zeitungsmaterial stützt[10].

Mithin stellt das Ostbüro ein Stück deutsch-deutscher Geschichte dar, das bis heute im Dunkel des Kalten Krieges verborgen geblieben ist. Wer diesen aber zumindest annähernd umfassend darstellen wolle, der müsse – so Ernst Nolte schon 1974 – auch die Vergangenheit der Ostbüros der Parteien und „besonders

---

[3] Vgl. Moraw, Die Parole.
[4] Vgl. Stößel, Positionen.
[5] Vgl. Kühne, Kuriere; Lohrenz, Hinter den Kulissen.
[6] Vgl. Teller, Der Kalte Krieg gegen die DDR.
[7] Vgl. Walde, ND-Report; Ruhland, Krieg auf leisen Sohlen.
[8] Vgl. Fricke, Selbstbehauptung und Widerstand in der SBZ; ders., Opposition und Widerstand.
[9] Vgl. Grabe, Vier Stationen; Thape, Von Rot zu Schwarz-Rot-Gold, S. 299; Germer, Von Grotewohl bis Brandt.
[10] Vgl. Merz, Kalter Krieg.

das Ostbüro der SPD unter Stephan Thomas" untersuchen[11]. Letzteres versucht die vorliegende Arbeit trotz der erheblichen Schwierigkeiten, die sich nicht zuletzt aus Charakter und Überlieferungslage der Originalquellen des Büros ergeben. Da das SPD-Ostbüro sich gezwungen sah, auch mit geheimdienstlichen Mitteln zu arbeiten, steht ein großer Teil des einschlägigen Aktenmaterials heute nicht mehr zu Verfügung. Vieles wurde vernichtet, ist verschollen oder unter Verschluß. Das inzwischen im Archiv der sozialen Demokratie (AdsD) in Bonn befindliche Personenarchiv des Ostbüros ist nicht zugänglich, lediglich ein Teil des ebenfalls dort befindlichen Berichtsarchivs ist einzusehen. Andere Archivbestände konnten dieses Manko freilich zum Teil wettmachen: so der Bestand Schumacher, das Depositum Fritz Heine und der Nachlaß Arno Scholz im AdsD und das im Besitz von Irene Thomas befindliche Privatarchiv Thomas (PATh). Zudem bestand die Möglichkeit, die Akten des SPD-Parteivorstandes und der SPD-Bundestagsfraktion heranzuziehen. Da das Ostbüro der SPD großenteils konspirativ agierte, fertigten seine Mitarbeiter kaum schriftliche Aufzeichnungen an. Es erschien daher zweckdienlich, die ehemaligen festen Mitarbeiter des Ostbüros selbst zu befragen. Zwischen Juni 1986 und November 1988 konnten insgesamt 46 Interviews mit früheren Mitarbeitern des Ostbüros geführt werden, die überraschende Einblicke in die Entstehungsgeschichte und Arbeitsweise sowie in die ideologische Ausrichtung des Mitarbeiterstabes gewährten. Vieles, was sich in den Quellen wohl überhaupt nicht oder nur in undeutlichen Spuren findet, konnte so rekonstruiert und anschaulich gemacht werden.

Warum rief die SPD das Ostbüro ins Leben, und welche Funktion hatte es in den Jahren 1946 bis 1958, also von seiner Gründung bis zum Beginn seines Bedeutungsverlustes nach dem Stuttgarter Parteitag der SPD? Das ist, ganz allgemein formuliert, die Hauptfrage dieser Untersuchung. Im einzelnen geht es um folgende Komplexe: Für das Ostbüro der SPD waren sowohl Sozialdemokraten in der SBZ bzw. in der späteren DDR, als auch Sozialdemokraten im Westen Deutschlands tätig. Waren erstere in der Mehrzahl alte Genossen aus der Zeit der Weimarer Republik, oder engagierten sich vor allem die Jüngeren in der Widerstandsarbeit des Ostbüros? Gab es – von welcher Seite auch immer – Vergünstigungen für diese Arbeit? Und mit welchen persönlichen Folgen mußten Sozialdemokraten rechnen, deren illegale Tätigkeit aufgedeckt wurde? Auch im Hinblick auf die Mitarbeiter des Ostbüros in den Westzonen bzw. in der Bundesrepublik ist zu fragen, wer aus welchem Grund zu diesem Personenkreis zählte. Stammten sie aus den Westzonen oder West-Berlin, waren sie aus der SBZ bzw. der DDR geflüchtet oder nach früherer Emigration zu Zeiten der NS-Diktatur wieder zurückgekehrt? Mußten sie sich vor ihrer Einstellung einer Sicherheitsüberprüfung unterziehen? Wie viele Mitarbeiter gehörten überhaupt zum Stamm des Ostbüros, und mit welchen Aufgaben waren sie betraut? Wie

---

[11] Nolte, Deutschland und der Kalte Krieg, S. 700, Anm. 130.

war die Arbeit in administrativer Hinsicht organisiert? Änderte sich die Organisationsstruktur des Ostbüros im Laufe der Zeit? Wer beeinflußte die Arbeit maßgeblich?

Das Ostbüro war als Referat direkt dem SPD-Parteivorstand unterstellt und in seine Arbeit eingebettet. Daraus ergibt sich die Frage, wie groß der Handlungsspielraum seiner Mitarbeiter eigentlich war. Was legte der Parteivorstand fest, wo handelte das Ostbüro eigenmächtig? Traten Spannungen auf zwischen der Leitung des Ostbüros und den Genossen im Parteivorstand? Als Organisation der gesamtdeutschen Sozialdemokratie gegen den Machtanspruch der Kommunisten in Deutschland ist das Ostbüro der SPD nur eine unter vielen Organisationen, die von den Westzonen bzw. der Bundesrepublik aus gegen die Machthaber im Osten Deutschlands aktiv wurden. Seine Arbeit ist darum in zeitgeschichtlicher, politischer und ideologischer Hinsicht genauer einzuordnen und von der Tätigkeit anderer Organisationen abzugrenzen. Zu fragen ist auch, was das SPD-Ostbüro erreichte und welche Außenwirkung es entfaltete, wo möglicherweise Fehler lagen und wie effizient es in seiner Tätigkeit war.

Die Motive, die zur Gründung des Ostbüros, dieser in der Geschichte der SPD einzigartigen Einrichtung, führten, sind nur vor dem Hintergrund der Entwicklung der unmittelbaren Nachkriegszeit und namentlich der Zwangsvereinigung von SPD und KPD zur SED zu verstehen. Nach der bedingungslosen Kapitulation der deutschen Armee am 7. Mai 1945 in Reims und am 9. Mai in Berlin-Karlshorst konnten sich auch die Sozialdemokraten in Deutschland wieder einigermaßen frei betätigen. Der Exilvorstand der SPD befand sich zu dieser Zeit noch in London, in den vier Besatzungszonen organisierten die Sozialdemokraten gemeinsam mit Kommunisten und gelegentlich auch Vertretern der bürgerlichen Richtungen sogenannte Antifa-Komitees, um zumindest eine Art Notstandsverwaltung dessen aufrechtzuerhalten, was von deutscher Staatlichkeit noch übriggeblieben war[12]. Als erste Besatzungsmacht ließ am 10. Juni 1945 die Sowjetische Militäradministration in Deutschland (SMAD) politische Parteien wieder zu. Per „Befehl Nr. 2" gestattete sie die Gründung antifaschistischer Parteien und Gewerkschaften. Schon am 11. Juni wurde daraufhin in Berlin die KPD gegründet; vom Ziel der Errichtung einer kommunistischen Diktatur nahm sie in ihrem ersten Aufruf Abstand. Gleichfalls in Berlin konstituierte sich am 15. Juni der „Zentralausschuß der Sozialdemokratischen Partei", der sich zunächst auf die Arbeit in der Stadt selbst beschränkte. Vier Tage später bildeten die Genossen einen geschäftsführenden Vorstand, dem als gleichberechtigte Vorsitzende Otto Grotewohl, Max Fechner und Erich Gniffke angehörten. Am selben Tag trafen sich in Berlin je fünf Vertreter der Sozialdemokraten und der Kommunistischen Partei zu einem Gespräch, in dessen Verlauf die KPD-Delegation unter Walter Ulbricht eine Verschmelzung beider Parteien vehement ablehnte[13].

---

[12] Vgl. Osterroth/Schuster, Chronik, S. 10; Gniffke, Jahre, S. 28.
[13] Vgl. Gniffke, Jahre, S. 84 f.

Wesentlich mehr Zeit nahm die Gründung der Parteien in den Westzonen in Anspruch. Im Mai 1945 richtete der ehemalige SPD-Reichtagsabgeordnete Dr. Kurt Schumacher in Hannover ein später nach ihm benanntes „Büro" ein, in dem sich ohne Genehmigung der britischen Besatzungsmacht Sozialdemokraten aus der Stadt und ihrer Umgebung zusammenfanden. Auch in anderen Orten entwickelten sich so in den folgenden Wochen Parteiorganisationen auf kommunaler Ebene. Schumacher nahm während einer Reise nach Süddeutschland im Juli 1945 Kontakt zu ihnen auf. Sein Büro wurde mit der Zeit zur Schaltzentrale der SPD in der britischen und amerikanischen Zone, er selbst zur „absolut dominierenden Führungsfigur der SPD"[14].

Um die Inhalte ihrer künftigen Politik aufeinander abzustimmen, trafen sich am 5. und 6. Oktober 1945 Sozialdemokraten aus allen Besatzungszonen mit Vertretern aus dem Londoner Exil in Wennigsen bei Hannover. Nach Intervention der französischen Besatzungsmacht mußten sie ihr ursprünglich geplantes Konferenzprogramm stark einschränken; die Obstruktionsstrategie, mit der die Franzosen der alliierten Deutschlandpolitik drei Jahre lang begegneten, sollte auch auf die Arbeit des Ostbüros Auswirkungen haben. Bereits zwei Wochen vor der Konferenz hatte Wilhelm Pieck den organisatorischen Zusammenschluß von SPD und KPD gefordert und damit eine überraschende Kehrtwendung seiner Partei vollzogen, die in der SPD einige Irritationen auslöste. Die Teilnehmer der Konferenz von Wennigsen erklärten daraufhin übereinstimmend, diese Frage stehe für sie zur Zeit nicht zur Diskussion. Nach Konferenzschluß trafen sich am 7. Oktober Grotewohl und Schumacher in Hannover, um zu klären, wer nun eigentlich die Gesamt-SPD vertrete; darauf hatten zuvor sowohl das Büro Schumacher als auch der sozialdemokratische Zentralausschuß in Berlin Anspruch erhoben[15]. Bis die Zonengrenzen aufgehoben würden, so einigten sich die beiden, solle der Zentralausschuß die Sozialdemokraten in der SBZ führen, Kurt Schumacher hingegen solle der Repräsentant der Partei in den drei Westzonen sein. Gleichzeitig vereinbarten Grotewohl und Schumacher, ihre Politik soweit wie möglich aufeinander abzustimmen[16].

Hatte die Berliner SPD noch Mitte 1945 die organisatorische Einheit der Arbeiterklasse gefordert, so war sie bis zur Konferenz von Wennigsen von dieser Position bereits wieder abgerückt und hatte sich der Haltung Schumachers und der Westzonen-SPD genähert. Anders die KPD, sie forderte weiter – und erst recht unter dem Eindruck ihrer vernichtenden Wahlniederlage am 4. November 1945 in Österreich –, die organisatorische „Einheit der Arbeiterklasse" müsse so schnell wie möglich herbeigeführt werden. So rief Pieck zum 27. Jahrestag der Oktoberrevolution am 9. November 1945 dazu auf, SPD und

---

[14] Kleßmann, Die doppelte Staatsgründung, S. 227.
[15] Vgl. Gniffke, Jahre.
[16] Gniffke sieht dies in seinen Erinnerungen anders und betont, der Zentralausschuß in Berlin sei auch für die Westzonen-SPD zuständig gewesen; ders., Jahre, S. 96 f.

KPD müßten sich vereinigen. Doch Grotewohl distanzierte sich von diesem Ansinnen. Die Vereinigung auf Zonenebene, so erklärte er am 11. November, werde die Einheit im gesamtdeutschen Maßstab nicht fördern. Fünf Wochen später, am 20. und 21. Dezember 1945, trafen sich die ostdeutschen Sozialdemokraten zu ihrer sogenannten Sechziger-Konferenz. Grotewohl, inzwischen zur unbestrittenen Führungsfigur im Zentralausschuß aufgestiegen, kritisierte dabei die privilegierte Stellung der KPD im sowjetisch besetzten Teil Deutschlands. Einen sofortigen Zusammenschluß von SPD und KPD sah auch die Entschließung dieser Konferenz nicht vor. Dennoch kündigte sich dieser schon wenige Tage später an. Aus der gesamten SBZ erhielt der Berliner Zentralausschuß Berichte, in denen er über die zum Teil unter Zwang gefaßten Beschlüsse zur Vereinigung beider Parteien auf Orts- und Kreisebene informiert wurde. Selbst SPD-Bezirksvorsitzende wie Otto Buchwitz in Sachsen, Heinrich Hoffmann in Thüringen und Carl Moltmann in Mecklenburg-Vorpommern verlangten die Zusammenführung von SPD und KPD. „Wenn in Berlin die Vereinigung nicht zustande käme", so schildert Ernst Thape die Position des Pro-Einheits-Flügels, „würden sie in ihren Bezirken regional sich mit den Kommunisten zusammenschließen und dann mit den Vereinigungswilligen in den anderen Ländern eine eigene SED-Zentrale schaffen. [...] Da gab es für unseren Widerstand überhaupt keine Operationsbasis mehr, sondern nur noch persönliche Resignation."[17]

Der Zentralausschuß befand sich in einem Dilemma. Am 15. Januar 1946 beschloß er, eine Vereinigung könne nur im gesamten Deutschland vorgenommen werden und auch bei künftigen Wahlen müßten beide Parteien mit getrennten Listen antreten; ein „Bruderkampf" solle allerdings unterbleiben. Die Zensur sorgte aber dafür, daß der Beschluß totgeschwiegen wurde; Dresdener Zeitungen, die dennoch darüber berichteten, mußten eingestampft werden[18]. Am folgenden Tag lud Oberst Sergej Tulpanow von der Sowjetischen Militäradministration Mitglieder des Zentralausschusses und der KPD zu sich und trug ihnen die nächsten Schritte zur sich von unten her und auf sowjetischen Druck hin bereits vollziehenden Vereinigung der beiden Parteien vor.

Dieser Vereinigungstrend und namentlich der sowjetische Druck, der dahinter deutlich zu spüren war, sorgten im Büro Schumacher für helle Aufregung. Am 8. Februar 1946 trafen sich an der Zonengrenze, in Braunschweig, Kurt Schumacher und Herbert Kriedemann mit Otto Grotewohl und Gustav Dahrendorf. Deren Schilderung der Ereignisse in der SBZ übertraf die Befürchtungen der Westzonen-Genossen bei weitem. Eine Vereinigung, so erklärten Grotewohl und Dahrendorf, lasse sich nicht mehr verhindern – auch dann nicht, wenn sich der Berliner Zentralausschuß gegen den Zusammenschluß wende.

---

[17] Thape, Von Rot zu Schwarz-Rot-Gold, S. 247 f.
[18] Vgl. dazu und zum folgenden Gniffke, Jahre, S. 129 bzw. 138.

Schumacher legte Grotewohl daraufhin nahe, die Ost-SPD aufzulösen. Das sei nicht machbar, meinte Grotewohl; er wolle aber zumindest versuchen, gemeinsam mit seinen Mitarbeitern den demokratischen Charakter der künftigen Einheitspartei zu sichern.

Wenig später erklärte sich Grotewohl dann mit einem auf die SBZ beschränkten SPD-Parteitag einverstanden, der die bevorstehende Vereinigung beschließen sollte. Schumacher reiste daraufhin nach Berlin, um herauszufinden, ob der Zentralausschuß bereit sei, in den Westsektoren Berlins eine eigenständige SPD aufrechtzuerhalten und die ostdeutsche SPD aufzulösen. Beides wollte der Zentralausschuß nicht, worauf Schumacher jeden Kontakt mit ihm abbrach[19]. Damit begründete der spätere SPD-Vorsitzende eine Haltung, die als „sozialdemokratische Hallstein-Doktrin" bezeichnet worden ist: Die Westzonen-SPD unterband jeden Kontakt ihrer Parteigliederungen mit der SED, was selbst Kontakte auf Länderebene betraf, wie etwa Zusammenkünfte der Ministerpräsidenten aller deutschen Länder[20].

Auch manche Mitglieder der Ost-SPD waren mit dem wenig entschlossenen Vorgehen ihrer Parteispitze nicht einverstanden. Insbesondere in den Westsektoren Berlins formierte sich unter Führung von Germer und Neubecker, zwei Mitgliedern des Zentralausschusses, eine Opposition gegen die Vereinigung. Sie forderten eine Urabstimmung, die dann am 31. März 1946 abgehalten wurde, allerdings nur im Westteil der Stadt. Das Ergebnis war deutlich: 82,2 Prozent der an der Abstimmung Beteiligten lehnten eine sofortige Vereinigung von SPD und KPD ab, 62,1 Prozent befürworteten hingegen ein Bündnis, „welches gemeinsame Arbeit sichert und den Bruderkampf ausschließt"[21]. Daraufhin bildete sich in den Westsektoren Berlins eine eigenständige SPD, die am 31. März 1946 in der gesamten Stadt zugelassen wurde. Der Zusammenschluß aber war durch die Urabstimmung nicht mehr aufzuhalten. Am 20. und 21. April 1946 versammelten sich im Berliner Admiralspalast die Delegierten der Ost-SPD zum Vereinigungsparteitag, dem 40. Parteitag der SPD. Gegen den Zusammenschluß mit der Kommunistischen Partei stimmten nur 21 von 445 Delegierten der Sowjetzone und aus Berlin, an ihrer Spitze Fritz Drescher[22]. Der – inzwischen so genannte – Parteivorstand in Hannover hatte bereits am 18. April entschieden, den Vereinigungsbeschluß nicht anzuerkennen, da die Delegierten des Berliner Parteitages nicht in geheimer Wahl bestimmt worden seien[23]. Der erste gemeinsame Parteitag von Ost-SPD und KPD am 21./22. April 1946, der den Zusammenschluß besiegelte, war „formell gesamtdeutsch"[24], da 230 der

---

[19] Gniffke schildert die Besprechung etwas anders. Die Frage einer selbständigen SPD in den Berliner Westsektoren erwähnt er nicht; vgl. ders., Jahre, S. 152 f.

[20] Vgl. Kleßmann, Die doppelte Staatsgründung, S. 187.

[21] Osterroth/Schuster, Chronik, Band 3, S. 36.

[22] Vgl. Thape, Von Rot zu Schwarz-Rot-Gold, S. 250.

[23] Vgl. Osterroth/Schuster, Chronik, Band 3, S. 36.

[24] Nolte, Deutschland und der Kalte Krieg.

1055 Delegierten aus den westlichen Besatzungszonen kamen. Die Vereinigung, so behauptete Erich Gniffke deshalb auch, werde „von gesamtdeutschen Parteitagen beider Parteien vollzogen"[25]. Tatsächlich waren unter den 548 Delegierten des Berliner SPD-Vereinigungsparteitages auch 103 aus den Westzonen; allerdings ohne Mandat und nur deshalb, weil Grotewohl sich nicht an die mit Schumacher vereinbarte Abgrenzung der Interessensphären gehalten hatte.

Nachdem die Absicht der Sowjetischen Militäradministration und der KPD erkennbar war, eine Vereinigung von SPD und KPD herbeizuführen, verstärkte sich der Druck auf die Sozialdemokraten in der SBZ. Wenngleich unklar ist, wie viele SPD-Mitglieder im Zusammenhang mit der zwangsweisen Vereinigung beider Parteien verhaftet wurden, so steht doch fest, daß viele Sozialdemokraten verfolgt wurden, „die eine Fusion mit den Kommunisten für übereilt hielten oder grundsätzlich ablehnten"[26]. Die SPD spricht von 20 000 Parteimitgliedern, die zwischen Dezember 1945 und April 1946 auf die eine oder andere Weise unter Repressalien zu leiden hatten. Viele seien gemaßregelt worden, hätten ihre Wohnungen und ihren Arbeitsplatz verloren, andere seien verhaftet und nicht wenige getötet worden[27].

Erich Krüger, der Rostocker Parteisekretär, wurde in seinem Büro erschossen, und Hermann Grünewald erlitt im November 1945 durch einen Genickschuß schwere Verletzungen[28]. Schon vorher verhafteten die Sowjets die Polizeipräsidenten von Chemnitz und Berlin, die SPD-Mitglieder Günter Schwabe und Karl Heinrich, was wohl darauf zurückzuführen ist, daß die KPD damit „alte Rechnungen" aus der Weimarer Zeit begleichen lassen wollte. Karl Heinrich starb in der Haft. Auch später zählten sozialdemokratische Polizeipräsidenten – wie 1947 Kurt Krippner in Zwickau[29] – vorrangig zu den in der SBZ Verhafteten.

Kurt Schumacher, der im Vereinigungsdrang der KPD schon früh deren Versuch gesehen hatte, zumindest im Osten Deutschlands die Macht zu erringen, fühlte sich durch die Berichte über die Zwangsmaßnahmen der Sowjets gegen Sozialdemokraten in seiner Anschauung bestärkt. Nicht das Verlangen nach „antifaschistischer Solidarität" bestimmte seine Einschätzung, geprägt hatten ihn vielmehr vor allem seine Erfahrungen in der Weimarer Zeit: Das Paktieren der Kommunisten mit den Nationalsozialisten gegen die ungeliebte Republik, etwa im Streik der Berliner Verkehrsbetriebe, aber auch die feindselige Haltung, die die KPD in dieser Zeit der SPD gegenüber einnahm, waren ihm noch in frischer Erinnerung, und auch die von Stalin stammende und von führenden deut-

---

[25] Gniffke, Jahre, S. 164; Koch u. a., Versuch und Scheitern, S. 95 ff.

[26] Fricke, Warten, S. 69.

[27] Vgl. SPD-Pressedienst vom 26. 4. 1962.

[28] Archiv der sozialen Demokratie (AdSD), Ostbüro-Archiv, Band 0301, Manuskript der Rede Neumanns vor dem Europarat am 24. 6. 1957.

[29] AdSD, Ostbüro-Archiv, Band 0391, Bericht Voigts vom 9. 7. 1947.

schen Kommunisten stets wiederholte Äußerung, mit der die KPD sich der Bildung einer Einheitsfront gegen die Nationalsozialisten verweigerte, Sozialdemokratie und Faschismus seien „Zwillinge"[30], hatte Schumacher nicht vergessen. Schließlich hatte er auch den Stillhalte- und Legalitätskurs eines Großteils der Sozialdemokratie nach dem Staatsstreich in Preußen im Jahre 1932 als eine verhängnisvolle Kapitulation vor den totalitären Kräften strikt abgelehnt[31]. Schumacher, dieser Inbegriff des wehrhaften Sozialdemokraten, war nicht bereit, demokratisches Terrain kampflos antidemokratischen Kräften zu überlassen. Insofern erscheint es nur konsequent, daß er sich auch mit den Entwicklungen in der SBZ, mit dem „Parteistreich" gegen die SPD im Sinne von Stalins Deutschlandpolitik, nicht einfach abfinden wollte.

Da eine SPD in der SBZ nun nicht mehr existierte und die SED sich anschickte, auch in den westlichen Besatzungszonen aktiv zu werden, war mit der Zwangsvereinigung auch die Übereinkunft von Wennigsen obsolet geworden, mit der beide sozialdemokratischen Führungen ihre Einflußgebiete gegeneinander abgegrenzt hatten. In Schumachers Konzeption spielten nun die opponierenden Sozialdemokraten in der SBZ eine wichtige Rolle. Als „unbedingte Verpflichtung" habe er es verstanden, ihre Interessen wahrzunehmen, meint Moraw – „freilich so wie er sie sah". Die SPD-Spitzenfunktionäre in der SBZ, zu denen Schumacher nach seinen Gesprächen in Berlin jeden Kontakt abgebrochen hatte, habe er dagegen ohne Unterschied als „Quislinge" betrachtet[32]. Nach Auffassung der westlichen SPD war die Gleichschaltung ihrer Parteiorganisation in der SBZ inakzeptabel, sittenwidrig[33], und zudem war sie widerrechtlich erfolgt. Die SPD hielt deshalb ihren Anspruch aufrecht, eine gesamtdeutsche Partei zu sein. Auch nach der Zwangsvereinigung mit der KPD bestand die SPD in der SBZ für Kurt Schumacher de jure weiter. Es galt „nur", die Hindernisse auszuräumen, die ihrer freien Betätigung im Wege standen. Wenn im Osten Deutschlands eine legale Tätigkeit nun ausgeschlossen schien, so war die SPD entschlossen, in der SBZ aus der Illegalität heraus zu wirken[34]. Diesem Zwecke sollte von nun an das Ostbüro dienen.

*

Es ist mir ein großes Anliegen, denen zu danken, die mich bei der Arbeit an dieser Untersuchung in so vielfältiger Weise unterstützt haben. Mit Materialien und Hinweisen waren mir besonders Irene Thomas, Antje Sommer, Helmut Bärwald, Helmut Hiller, Dieter Rieke, Horst Koffke, Horst Becker und Hermann Kreutzer behilflich. Hans Jochen Vogel, der mir den Zugang zum Archiv der sozialen Demokratie ermöglichte, und den Mitarbeitern des Franz-Neu-

---

[30] Lübbe, Kommunismus, S. 122 ff.
[31] Vgl. Moraw, Die Parole, S. 75 f.
[32] Moraw, Die Parole, S. 75 f.
[33] AdSD, Ostbüro-Archiv, Band 0301 III, Manuskript Schumachers für Pressekonferenz am 13. 12. 1947.
[34] AdSD, PV-Protokolle 1955, Manuskript Heines für die PV-Sitzung am 29./30. 4. 1955.

mann-Archivs in Berlin gilt mein besonderer Dank. Manche wichtige Anregung und viele nützliche Fingerzeige verdanke ich meinem Doktorvater Wilhelm Bleek, ohne den diese Arbeit nicht zustande gekommen wäre.

In Liebe und Dankbarkeit ist dieses Buch meinen Eltern, Hermann und Edith Buschfort, gewidmet.

I. Die Anfänge einer Untergrundorganisation (1946–1948)

Nach zwölf Jahren der Unterdrückung durch die Nationalsozialisten konnte die SPD Anfang 1946 zumindest in den amerikanisch und britisch besetzten Teilen Deutschlands politisch wieder frei tätig werden, wenn auch nur unter der Kontrolle der Besatzungsmächte. In der SBZ hingegen wurde die Partei erneut verfolgt und an der politischen Arbeit gehindert. Damit wollte sich die SPD-Spitze in den westlichen Besatzungszonen nicht einfach abfinden. In Anknüpfung an alte sozialdemokratische Traditionen, die sich im Kaiserreich und in der NS-Zeit bewährt hatten, plante Kurt Schumacher darum schon seit Februar 1946 die Einrichtung einer „Untergrundorganisation" in der sowjetischen Zone. Entsprechend äußerte er sich bei einem Abendessen, das der politische Berater des britischen Oberbefehlshabers in Berlin, William Strang, am 22. Februar 1946 für ihn gegeben hatte. Jener telegrafierte tags darauf an das Londoner Außenministerium: „His plan seems to be to maintain contact underground organisation inside the United Party, for which he is already making arrangement."[1]

Tatsächlich scheint das Ostbüro schon vor der Zwangsvereinigung von SPD und SED im April 1946 seine Arbeit aufgenommen zu haben. Stephan Thomas erinnert sich, es sei „beim Parteivorstand unter der direkten Leitung des Vorsitzenden Dr. Kurt Schumacher" geschaffen worden „als Instrument der Partei für die *kommende* Auseinandersetzung mit dem kommunistisch-stalinistischen Machtanspruch in Deutschland"[2]. Zunächst wurde das Ostbüro freilich unter anderem Namen und mit anderer Zielsetzung aktiv. Als „Betreuungsstelle Ost" unterstützte das Büro in der Jakobstraße in Hannover seit Anfang 1946 Sozialdemokraten[3], die sich der polititschen Verfolgung in der SBZ durch Flucht in den Westen entzogen. Zu ihnen zählte auch der Leiter dieser Flüchtlingsbetreuungsstelle, Rudi Dux, ein sozialdemokratischer Journalist, der im Sommer 1936 von der Gestapo wegen Widerstandstätigkeit in Hannover verhaftet und 1938 von einem Sondergericht zu zwei Jahren Zuchthaus verurteilt worden war. Nach Kriegsende hatte Dux in Magdeburg die SPD mitaufgebaut und war im Februar 1946 nach Konflikten mit der Sowjetischen Militäradministration als

---

[1] Public Record Office, No. C 2197, Foreign Office No. 371, William Strang an Foreign Office, Telegramm Nr. 252.

[2] Privatarchiv Irene Thomas (PATh), Stephan Thomas im Interview mit Katja Stieringer vom 14. 1. 1986, S. 1; Hervorhebung durch den Verf.

[3] AdsD, Depositum Fritz Heine, Bd. 8, Heine über die Parteiorganisation, Manuskript o. Dat.

Parteisekretär von dort geflohen. „Hilfe für Ostflüchtlinge" nannte denn auch Erich Ollenhauer das spätere Ostbüro, dessen Name in den ersten Jahren seines Bestehens mehrfach wechselte. „Für unsere Genossen in der Ostzone, die zwangsweise in die SED gehen mußten", so Ollenhauer, solle diese „Zentrale" tätig werden, denn: „Diese Genossen müssen versorgt und betreut werden."[4]

Flüchtlingsbetreuung und Flugschriften-Propaganda

„Bei der Flüchtlingsbetreuungsstelle Ost in Hannover findet eine Registrierung und eine Vorprüfung der ankommenden Flüchtlinge statt", berichtete der sozialdemokratische *Vorwärts* am 24. August 1951. Und weiter hieß es dort: „Hat es sich in Hannover herausgestellt, daß es sich um einen echten politischen Flüchtling handelt, dann gewährt ihm die SPD jeden nur möglichen Schutz und jede nur mögliche Hilfe und Unterstützung."[5] Daß in erster Linie dies die Aufgabe des Ostbüros war, bestätigt auch Winfried Busch[6]. Er war – gemeinsam mit seinem Freund Jochen Bargmann – ab Oktober 1945 als Kurier für das Büro tätig. Rudi Dux schickte beide regelmäßig in die SBZ, wo sie herausfinden sollten, ob es sich bei den in Hannover eingetroffenen Flüchtlingen tatsächlich um verfolgte Sozialdemokraten handelte[7]. Die Kuriere – meist für bestimmte der damals noch bestehenden Länder zuständig[8] – waren mit falschen Ausweisen ausgestattet, die das Ostbüro über einen Mitarbeiter in Halle sowie über Quellen im thüringischen Innenministerium[9] und in der dortigen Finanzverwaltung[10] erhielt. Zu diesen gefälschten Dokumenten zählten auch Mitgliedsausweise der SED. Busch trug darüber hinaus das SED-Parteiabzeichen am Revers und hatte eine Ermächtigung bei sich, die ihn befugte, in der SBZ nach ehemaligen NS-Funktionären zu suchen. Eher zweifelhaft und unter dem Druck der Vernehmungsmethoden entstanden erscheint das „Geständnis" Heinz Kühnes, der britische Geheimdienst habe geholfen, die falschen Papiere anzufertigen, darunter Ausweise des Schweizer Roten Kreuzes; der Ostbüro-Kurier Kühne war zuvor von West-Berlin aus in die SBZ verschleppt worden[11]. In der SBZ suchten die illegal operierenden Kuriere dann vor allem „führende Funktionäre der nicht mehr bestehenden SPD" und andere auf, „von denen man annahm, daß sie Gegner des dortigen Systems waren"[12].

[4] AdsD, PV-Protokoll vom 4. 6. 1946.
[5] Neuer Vorwärts vom 24. 8. 1951, S. 3.
[6] Busch im Interview vom 16. 2. 1987, S. 2.
[7] AdsD, PV-Protokoll vom 4. 6. 1946; vgl. PATh, Informationsbrief Nr. 3, „Geheim", Bd. 1948.
[8] Busch im Interview vom 16. 2. 1987, S. 12.
[9] AdsD, Ostbüro-Archiv, Bd. 0421, Haftbericht vom 19. 2. 1954.
[10] Ebenda, Haftbericht vom 4./5. 2. 1954.
[11] Vgl. Kühne, Kuriere, S. 28.
[12] Nelke im Interview vom 28. 11. 1987, S. 2.

Die Arbeit der Flüchtlingsbetreuungsstelle in Hannover lief in den Anfangs-
jahren noch verhältnismäßig unkoordiniert ab. Nach wie vor hielten SPD-
Bezirke im Westen Kontakt mit den Parteifreunden in der SBZ und gefährdeten
sie dadurch zusätzlich. Schon im August 1946 hatte Erich Ollenhauer dazu aufgefordert, kein Material mehr in die Ostzone zu schicken[13]. Dennoch sandten
die West-Genossen ihre Parteipost auch weiter in die SBZ, ganz offiziell im
SPD-Couvert. Einen solchen Brief empfing auch das Parteimitglied Fritze,
berichtete Ostbüro-Kurier Hahnemann im Januar 1947. Der Briefträger, ein
vormaliger KPD-Funktionär, habe Fritze das Schreiben mit den Worten über-
reicht, „Guten Morgen, Herr Schumacher"[14]. Auf diesen Vorfall reagierte Ostbüro-Chef Rudi Dux mit einem Rundschreiben an alle Bezirke („zur Weitergabe an die Untergliederungen der Partei"): „Alle Parteidienststellen machen
wir darauf aufmerksam", hieß es in dieser Mitteilung, „daß sie auf jeden Fall bei
Verkehr mit irgendwelchen Personen in der SBZ vermeiden, Briefumschläge mit
dem Aufdruck ‚Sozialdemokratische Partei' zu verwenden, da in der letzten
Zeit wiederholt Klagen aus der Ostzone geführt worden sind. [...] Im übrigen
möchten wir ersuchen, allen Schriftverkehr mit der Ostzone, sofern er sich auf
politische Tatsachen bezieht, dem Parteivorstand, Abteilung Ostbetreuung
bekannt zu geben."[15]

Doch was nützte der fromme Wunsch, wenn Pakete voller Flugblätter während des Posttransportes aufplatzten? „Ich habe wieder Material durch die Post
bekommen, das halb geöffnet war, so daß jeder einsehen konnte", schrieb im
August 1948 ein Ostzonen-Genosse an Rudi Dux und bat: „Ich will mich nicht
unnütz der Gefahr aussetzen. Seid also bitte nicht so leichtsinnig", denn dies „ist
nun schon das zweite Mal."[16] In der Anfangsphase seiner Arbeit, die häufig im
Zeichen eines unglaublichen Dilettantismus stand, nahm es das Ostbüro auch
mit anderen Maßnahmen, die zum Schutz der illegal tätigen Sozialdemokraten
notwendig waren, nicht so genau; so bestätigte es selbst Vermißtenmeldungen,
die aus der SBZ in Hannover eingegangen waren[17].

Die Versorgung der östlichen Genossen mit Propagandamaterial nahm bald
einen großen Stellenwert in der Arbeit des Ostbüros ein. 1946/47 schmuggelten
Mitarbeiter des Büros Flugblätter in die SBZ, die auch in den Westzonen zur
politischen Auseinandersetzung mit der KPD verteilt wurden. Schon im Juni
1946 wies die SPD in einer solchen Flugschrift auf zehn verschleppte Sozialdemokraten hin, im Juli folgten „20 Fragen an Grotewohl und Pieck". Regelmäßig schrieb man Schumachers Reden ab und verbreitete sie in der SBZ[18].
Kuriere brachten diese Schriften in den Osten, und auch andere Parteimitglie-

[13] AdsD, PV-Protokoll vom 22. 8. 1946.
[14] AdsD, Ostbüro-Archiv, Bd. 0394c, Kurierbericht von Hahnemann vom Januar 1947.
[15] PATH, Bd. 1945/46/47, Rundschreiben Nr. 1 vom 26. 4. 1947.
[16] AdsD, Ostbüro-Archiv, Bd. 0420 A I, Brief von D. H. vom 24. 8. 1946.
[17] Ebenda, Brief vom 28. 10. 1947 nach Potsdam.
[18] PATh, Manuskripte ungeordnet.

der nahmen Flugblätter mit, wenn sie auf Reisen in den Osten Deutschlands dem Büro in Hannover einen kurzen Besuch abstatteten.

Die Sozialdemokraten in den Westzonen hatten sich mit der Zwangsvereinigung von SPD und KPD nicht abgefunden. Nach wie vor hofften sie, ihre Partei würde in der SBZ wieder zugelassen. Um in diesem Fall die Arbeit sofort wieder aufnehmen zu können, hielt das Ostbüro die alten Kontakte aufrecht und knüpfte neue, schmuggelte Schriftgut in die SBZ und hielt die Parteispitze über die Entwicklungen im Osten auf dem laufenden. Diese Arbeit werde, so Fritz Heine am 4. Juni 1946 vor dem Parteivorstand, „von Hannover aus [...] mit allen Finessen der illegalen Organisation betrieben"[19]. Zuversichtlich, daß die Partei schon in Kürze wieder öffentlich politisch aktiv werden könne, wandte sich ein Sozialdemokrat aus Freital in der SBZ an das Ostbüro: „Genossen, ich kann Euch nur das eine sagen, eine Atmosphäre liegt in der Luft, der Ruf und Drang nach unserer SPD ist nicht mehr zu schildern", schrieb der illegal tätige Genosse im März 1947. „Gleichzeitig teile ich Euch mit, in Freital habe ich einen handfesten Aktionsapparat aufgebaut, organisiert und sofort aktionsfähig zum Einsatz bereitstehen."[20] Bereits im Februar 1947 hatte ein Parteimitglied aus Schkeuditz berichtet: „Die hiesige Ortsgruppe umfaßt schon 50 Mitglieder. Ich bitte Euch [...] um Zusendung von Mitgliedskarten und auch Marken. Diese werden regelmäßig und ordnungsgemäß von uns abgerechnet. Oder sollen wir ohne Marken arbeiten?" Zudem, so der Genosse, brauche er Aufnahmeformulare und Werbematerial[21]. An die Gefahren, die mit der Ausgabe von offiziellen Parteidokumenten und Werbematerial verbunden waren, scheint dieser Genosse nicht gedacht zu haben. So wurde die Unbekümmertheit von Sozialdemokraten, die sich auch organisatorisch alten Traditionen verbunden fühlten, zu einer großen Gefahr für die illegale Arbeit in der SBZ.

Die Mitarbeiter des Ostbüros pflegten nicht nur die verdeckt agierende Parteiorganisation in der SBZ, sondern befragten auch die in Hannover eintreffenden Flüchtlinge. Sie erhielten auf diesem Wege Informationen, die sich für den Parteivorstand als außerordentlich wichtig erwiesen. Nur wer über die grundlegenden Veränderungen im Bilde war, die sich in Ostdeutschland vollzogen, wer im einzelnen über die Boden- und Verwaltungsreform, die Entnazifizierung und die Demontagen informiert war, konnte glaubwürdig den Anspruch aufrechterhalten, gesamtdeutsch tätig zu sein. Informationen kamen auch aus Zeitungen und anderen Schriften, die das Ostbüro aus der sowjetischen Zone erhielt und auswertete. Dabei erscheint die Arbeit der ersten Informanten rückblickend als noch wenig professionell, fast spielerisch: „Habe Dir die letzten Freiheiten geschickt [gemeint ist die *Freiheit*, Halle]. Bekommst sie von jetzt ab alle lückenlos", schrieb ein Parteimitglied aus der SBZ dem Ostbüro-Chef Dux im

[19] AdsD, PV-Protokoll vom 4. 6. 1946.
[20] AdsD, Ostbüro-Archiv, Bd. 0394c, Brief vom 4. 3. 1947.
[21] Ebenda, Brief Ortsgruppe Schkeuditz vom 5. 2. 1947.

August 1946. „Habe noch ein 2. Exemplar bestellt, damit mir sie Mutti nicht zum Einwickeln nimmt. Verordnungsblätter bekommst Du weiterhin."[22]

Organisatorischer Ausbau

Schon bald benötigte die „Flüchtlingsbetreuungsstelle Ost" im Büro Schumacher – wo sich die drei Mitarbeiter Dux, Busch und Bargmann mit ihrer Schreibkraft Mia Schareina einen Raum geteilt hatten – mehr Platz und zusätzliches Personal. Als der SPD-Vorstand in Hannover aus Schumachers Räumen in die Odeonstraße umzog, übernahm das Ostbüro die drei freiwerdenden Zimmer in der Jakobstraße und konnte um die Jahreswende 1946/47 zusätzliche Kräfte einstellen: Herbert Kade befragte die neu eintreffenden Flüchtlinge, Günter Nelke kümmerte sich um deren soziale Belange; er hatte ab 1939 eine Zeitlang die Demokratische Flüchtlingsfürsorge im Prager Exil geleitet und war 1945 beim amerikanischen Rescue und Relief Committee in Paris beschäftigt gewesen[23], mit der Materie also vertraut. Daneben verstärkten Freiherr von Schuckmann und Sigrid Hilland die Betreuungsstelle. „Alles entwickelte sich nicht nach einem lange vorbereiteten Plan, sondern schrittweise", erinnerte sich Fritz Heine, der als Ressortleiter im Parteivorstand für das Ostbüro zuständig war: „Unser Bedarf an Informationen war beträchtlich und man fand organisatorische und technische Wege [...], um ein System der Arbeit, der Arbeitsteilung und Auswertung der Informationen zu organisieren."[24]

Mit der Einstellung des früheren stellvertretenden Leipziger Polizeipräsidenten Günther Weber am 27. April 1947 änderte sich die Arbeitsweise des Ostbüros erheblich. Nachrichtendienstähnliche Methoden sollten nun dazu beitragen, die Aufgaben effektiver zu erfüllen. Schon wenige Tage nachdem der Parteivorstand den Ex-Polizeichef angestellt hatte, erarbeitete dieser einen Plan zum Aufbau des „Nachrichten- und Propagandawesen[s] Ostzone"[25]. Weber, ein Organisationstalent und eloquenter Macher, der im Gegensatz zu vielen Angestellten beim Parteivorstand über Verwaltungserfahrung verfügte, wollte das neue Referat zusammen mit „acht qualifizierten Parteiangestellten" aufbauen, die zum Teil erst aus der SBZ herübergeholt werden sollten. Der beim Parteivorstand beschäftigte Genosse Klemmer sollte mit dem Nachrichtendienst der Organisation betraut werden, ferner sollten sozialdemokratische Landesminister Verbindungsstellen bei ihren Behörden einrichten lassen: „Diese Stellen sollen von sich aus die Arbeit aufnehmen und Material liefern und ständig Fühlung

---

[22] Ebenda, Bd. 0420 A I, Brief von D. H. an Rudi Dux vom 24. 8. 1946.
[23] AdsD, Bestand Schumacher J 27, Büro der Westzonen I–Q, Brief von Nelke an Heine vom 9. 4. 1946; Nelke im Interview am 28. 11. 1987, S. 1.
[24] Heine im Interview vom 8. 10. 1987, S. 1.
[25] AdsD, PV-Akten, Bd. 0601b, Ergänzungsvorschläge von Weber an Nau vom 23. 5. 1947; hier auch das folgende Zitat.

zum Ostsekretariat halten." Zu beobachten sei auch die Arbeit der KPD in den Westzonen.

Zudem schlug Weber vor, das Referat zu teilen. Die „Organisationsabteilung" sollte für die exekutive Seite der Arbeit zuständig sein, das „Politische Sekretariat" (auch „Informationsabteilung" genannt) sollte die Arbeit von KPD und SED kontrollieren, Material aus offiziellen und geheimen Quellen sichten und auswerten und die gewonnenen Ergebnisse publizistisch umsetzen. Die aus der SBZ geflüchteten Sozialdemokraten sollten überdies in einer Kartei erfaßt werden. Insgesamt sollten nach Webers Plan nicht weniger als 42 festangestellte Mitarbeiter im Ostbüro tätig werden; allein für die Aufbauphase verlangte er 22 Kräfte, die in 16 Räumen unterzubringen seien. Da „so viele zusammenhängende Räume in Hannover nicht zur Verfügung stehen", schlug er vor, die Besatzungsmächte auf dieses Problem anzusprechen.

Rudi Dux, der bisherige Ostbüro-Chef, konnte sich mit Webers weitreichenden Plänen nicht anfreunden. Nach „interne[n] Auseinandersetzungen"[26] aufgrund diverser „Pannen"[27] wechselte der gelernte Journalist, der im Parteivorstand als nur bedingt für Führungsaufgaben geeignet galt, in die Redaktion des SOPADE-Informationsdienstes. Im Rahmen der „Reorganisation des Ostzonenbüros", so Fritz Heine im September 1947 vor dem Parteivorstand[28], übernahm am 1. Juli 1947 Siegmund (Sigi) Neumann dessen Leitung. Neumann war nach einem Gespräch mit Herbert Wehner im Frühjahr 1946 freier Mitarbeiter der SPD geworden[29]. Wie Wehner war auch Neumann in der Weimarer Zeit Kommunist gewesen. 1907 als Paul Brandenburg in Berlin geboren, war er 1926 der KPD und der Revolutionären Gewerkschaftsorganisation beigetreten. Nachdem ihn die Partei 1934 wegen revisionistischer Äußerungen ausgeschlossen hatte, war Neumann über Dänemark nach Frankreich emigriert, hatte im Spanischen Bürgerkrieg auf seiten der Republikaner in den Internationalen Brigaden gekämpft und war dann über Frankreich ins schwedische Exil gegangen.

Die Berufung des Ex-Kommunisten Neumann zum Chef des SPD-Ostbüros traf nicht bei allen Genossen auf Zustimmung: „Seid Ihr über Neumann unterrichtet?" fragte beispielsweise Kurt Heinig, der nach Schweden emigrierte Verbindungsmann zum Londoner Parteivorstand, am 4. Mai 1946. „Er [. . .] war nie Sozialdemokrat. Er hat ausgezeichnete Verbindungen zu den Kommunisten, man nimmt hier an, daß er wohl zum Bureau von Heine gegangen sei, nachdem er dazu die Erlaubnis von den Kommunisten bekommen habe."[30] Fritz Heine widersprach Heinig zwei Wochen später: „Wir sind über Neumann unterrichtet. [. . .] Ich halte es für ausgeschlossen, daß er sich als Spitzel betätigt. Wir haben,

---

[26] Moraw, Die Parole der Einheit, S. 232.
[27] Weber im Inteview vom 20. 11. 1988, S. 1.
[28] AdsD, PV-Protokolle, Heine im PV am 16./17. 9. 1947.
[29] Vgl. Brandt, Ein Traum, S. 173.
[30] AdsD, Bestand Schumacher J 26, Brief von Heinig an Heine vom 4. 5. 1946.

glaube ich, ausreichend Beweise dafür, daß diese Vermutung völlig aus der Luft gegriffen ist."[31] Einige Wochen später deutete Heine in einem weiteren Brief an, warum die Wahl auf Neumann gefallen war: „Ich bin viel zu mißtrauisch gegenüber Kommunisten, um da leichtfertig zu sein, aber ich glaube, daß wir andere Kräfte heranziehen müssen, und *wenn wir ins gegnerische Lager eindringen wollen*, uns geeigneter Kräfte zu diesem Zweck bedienen müssen."[32]

Überdies war nicht daran gedacht, das Ostbüro alleine durch Neumann leiten zu lassen. Der Parteivorstand stellte ihm den langjährigen Sozialdemokraten Stephan Thomas, mit bürgerlichem Namen Grzeskowiak, zur Seite. Dieser kannte Neumann aus der gemeinsamen Schulzeit in Berlin-Neukölln. Thomas war 1910 als Sohn deutsch-polnischer Eltern geboren worden. Der Vater, später Sozialdemokrat, hatte zunächst der Polnischen Sozialistischen Partei angehört. Stephan Thomas konnte nach einer Lehre das Arbeiterabitur auf der Berliner Karl-Marx-Schule ablegen und in Berlin, London und Warschau studieren. 1933 war er als „Peter the Pole" oder „Thomas" (so lautete der Vorname seines Vaters) in die Illegalität gegangen, ab April 1942 hatte er am Afrikafeldzug teilgenommen und war zwei Monate später in britische Kriegsgefangenschaft geraten. Im Antifaschistencamp Ascot lernte Thomas 1943 Erich Ollenhauer und Erwin Schöttle kennen; bis 1944 arbeitete er dann für die BBC. Seine Frau, die sich ebenfalls in der illegalen Arbeit engagiert hatte, war 1944/1945 ins KZ Ravensbrück verschleppt worden. Bevor der Parteivorstand Thomas zum stellvertretenden Leiter des Ostbüros berief, war er im Auftrag Schumachers im Polizeipräsidium von Hannover tätig. Mit dem SOPADE-Widerstand waren weder er noch Neumann in Kontakt gekommen. Die enge Zusammenarbeit mit Fritz Heine, dem für das Ostbüro zuständigen Abteilungsleiter im Parteivorstand, führte jedoch, wie Thomas berichtete, zu einer „wechselseitigen Durchdringung von Erfahrungen"[33].

Mit der Einstellung von Neumann und Thomas entwickelte sich das SPD-Ostbüro „zu einer politischen Potenz"[34]. Die beiden begannen ihre Arbeit mit der Zusammenstellung von Listen vertrauenswürdiger Genossen in der SBZ[35]; „schwankende KP-Genossen"[36] nahmen sie gesondert in ihre Unterlagen auf. Die Parteifreunde in der SBZ und späteren DDR erhielten von nun an öfter Besuch aus dem Westen. Die Gäste wollten nicht nur etwas mehr über die bereits illegal tätigen anderen Genossen erfahren, sondern hofften gleichzeitig auf neue Namen[37]. Diese Bemühungen waren auch dringend geboten, wie ein Ostbüro-Bericht vom Dezember 1947 belegt: „Eine illegale Arbeit im Interesse

[31] Ebenda, Brief von Heine an Heinig vom 18. 5. 1946.
[32] Ebenda, Brief von Heine an Heinig vom 20. 6. 1946; Hervorhebungen durch den Verf.
[33] Stephan Thomas im Interview vom 1. 7. 1986, S. 2.
[34] Weber im Interview vom 20. 11. 1988, S. 1.
[35] AdsD, Ostbüro-Archiv, Bd. 0394 c.
[36] Ebenda, Liste vom 25. 8. 1947.
[37] Ebenda, Bericht vom 15. 12. 1947; hier auch die folgenden Zitate.

der SPD besteht in Jena nicht. Gelegentlich einer Zusammenkunft mit ehemaligen SPD-Genossen wurde diese Frage zwar angeschnitten, aber nicht positiv beantwortet. Hier im Interesse der SPD überhaupt etwas zu schaffen, ist bei der Mentalität der Jenaer Parteigenossen nur schwer denkbar."

Ein Verzeichnis der ostdeutschen SPD-Mitglieder oder -Funktionäre scheint im Westen vor der Zwangsvereinigung der Partei mit der KPD nicht existiert zu haben. Auch Unterlagen über Sozialdemokraten, die führende Positionen in den Gemeinden einnahmen, waren – bis auf eine Liste der Landräte und Oberbürgermeister Brandenburgs – nicht vorhanden. So standen den Ostbüro-Mitarbeitern nur einige Delegiertenlisten früherer Parteitage zu Verfügung. Aus diesen sonderten sie die Namen derjenigen Parteimitglieder aus, die die Zwangsvereinigung angeblich befürwortet hatten und damit für die sozialdemokratische Sache verloren waren. Die anderen, die nach Meinung des Ostbüro-Stabes der Sozialdemokratie treu geblieben waren, wurden von Kurieren persönlich aufgesucht – sofern sie unter den alten Adressen noch anzutreffen waren. Aber manche der Besuchten wollten mit der SPD nichts mehr zu tun haben, wie zum Beispiel Winfried Busch erfahren mußte, der als einer der ersten Ostbüro-Kuriere in der SBZ unterwegs war. Er mußte einen ehemaligen Genossen sogar darum bitten, ihm wenigstens einen gewissen Vorsprung zu geben, bevor dieser die Polizei benachrichtigte[38]. Oft meldeten sich alte Parteimitglieder aus dem Osten Deutschlands aber auch selbst bei der Westzonen-SPD. So erhoben die Sozialdemokraten aus Gera förmlich Anspruch auf zwei Delegiertenmandate beim Nürnberger Parteitag von 1947[39].

Die neuen Ostbüro-Verantwortlichen Neumann und Thomas wollten ihre Einrichtung nicht nur personell, sondern auch technisch besser ausgestattet wissen. Zwei bis drei Autos und eine ausreichende Anzahl von Fernschreibern für künftige Geschäftsstellen sollten angeschafft werden; nicht weniger als zwanzig Geräte *samt Nebenstellen* forderte Neumann im Herbst 1947 an[40]. So viele wollte ihm die britische Militärregierung aber nicht zugestehen, worauf Neumann sich an Erich Ollenhauer wandte: „Unsere Flüchtlingsbetreuungsstelle ist ganz besonders an der schnellstmöglichen Installierung der Fernschreibapparate interessiert", bekräftigte der Ostbüro-Chef, „denn gegenüber dem öffentlichen Telegramm- und Telefon-Verkehr hat die Fernschreibmethode den Vorteil einer relativ größeren Abschirmung, so daß Sie unser besonderes Interesse verstehen werden. Wenn Sie den englischen Verbindungsoffizier [...] ersuchen würden, [...] dürfte es keine weiteren Schwierigkeiten geben."[41]

Darüber hinaus verlangte Neumann mehr Räume für seine Dienststelle, denn

---

[38] Busch im Inverview vom 16. 2. 1988, S. 12.

[39] AdsD, Ostbüro-Archiv, Bd. 0394c; dabei handelt es sich um einen Brief der „Illegalen Sozialdemokratischen Partei" in Gera, die sogar über eigene Briefbögen mit diesem Aufdruck verfügte.

[40] PATh, Antrag vom Herbst 1947.

[41] Ebenda, Band E. O., Brief vom 10. 5. 1948.

die drei Zimmer im früheren Büro Schumacher reichten nicht mehr aus. Nach einigen Verhandlungen wiesen die Briten dem Ostbüro ein Haus in der Böttcherstraße in Hannover-Herrenhausen zu, das die Militärregierung von einem Nationalsozialisten beschlagnahmt hatte. Heinz Kühne, der als Ostbüro-Kurier in die Fänge des sowjetischen Geheimdienstes geriet und inhaftiert wurde, schrieb, die Briten hätten das Ostbüro mit den notwendigen Büromaterialien ausgestattet und zudem zwei Volkswagen zur Verfügung gestellt[42]. Zumindest die letzte Behauptung ist nachweislich falsch. Die monatliche Kostenaufstellung des Ostbüros, das bis 1952 eine eigene Kasse führte[43], verzeichnet für Januar 1948 Ausgaben in Höhe von 17 000 RM und damit 10 000 RM mehr als in den Monaten zuvor, was ausdrücklich auf die Anschaffung zweier Volkswagen zurückgeführt wird[44].

Das Ostbüro der SPD hatte nun immer mehr zu tun, und um die Arbeit effektiver und professioneller zu gestalten, ordnete Neumann seinen Mitarbeitern feste Arbeitsgebiete zu. Jeder sollte für ein bestimmtes Land in der SBZ zuständig sein – möglichst für jenes, aus dem er selbst geflüchtet war. So kümmerten sich seit Februar 1948 Walter Ramm, später Kurt Brenner um das Land Sachsen, Hermann Witteborn um Mecklenburg, und Herbert Kade befaßte sich mit den Ländern, für die es keine besonderen Sachbearbeiter gab. Alfred Nau forderte im Februar 1948: „Notwendig wäre zumindest für jedes Land ein Sachbearbeiter. Ich habe diesbezüglich Schritte drüben unternommen, um je einen Genossen aus Sachsen und Sachsen-Anhalt zur Verstärkung unseres Büros herüber zu bekommen, da alle meine Bemühungen, hier geeignete Genossen zu finden, ergebnislos verliefen."[45]

Doch auch zwei Monate später hatte das Ostbüro die SBZ mit Kurieren und Länder-Sachbearbeitern noch nicht vollständig abgedeckt: „Die Bezirke Brandenburg und Mecklenburg sind von uns bisher so gut wie überhaupt nicht bearbeitet worden", bestätigte Sigi Neumann in einem Schreiben an den Parteivorstand vom 1. April 1948 die unbefriedigende Situation, „Sachsen und Sachsen-Anhalt nur zu einem Teil, so z. B. das Erzgebirge-Vogtland so gut wie gar nicht, Thüringen nur sehr notdürftig. Kuriere – unsere wichtigsten Verbindungsmittel – besuchen die Ostzone nicht entfernt in der von den Freunden gewünschten – und notwendigen – Häufigkeit. Materialien (Agitations- und Propagandaschriften) werden von uns nur in einem ganz unbeträchtlichen Umfange dorthin gebracht. Auch das hereinströmende Material wird von uns nur zu einem kleinen Teil so ausgewertet, wie es notwendig wäre."[46] In einem weiteren Brief an die Parteispitze erklärte Neumann, „infolge unserer bisherigen technischen

---

[42] Vgl. Kühne, Kuriere, S. 6.
[43] Brief von Nelke an den Verf. vom 27. 5. 1988.
[44] PATh, Bd. 1948, Brief von Neumann an Nau vom 19. 4. 1948.
[45] Ebenda, Brief von Neumann an Nau vom 25. 2. 1948.
[46] Ebenda, Brief von Neumann an den PV vom 1. 4. 1948.

Mängel und der außerordentlichen Beschränkung unserer Hilfsmittel haben wir nicht einmal 5%! unserer Kontakte gepflegt, die vorhanden sind [. . .]. Es gibt wichtige V-Leute in Mecklenburg, die nur alle drei oder vier Monate, andere – in Brandenburg – die nur alle 4 Monate besucht werden. [. . .] Um uns nicht zu zersplittern, haben wir uns auf die wirtschaftlichen und politischen Zentren der Ostzone konzentriert. [. . .] Die politischen und ökonomischen Triebkräfte zum Widerstand sind in der Ostzone so groß, daß wir [uns] bei einer Intensivierung unserer Tätigkeit auf einen bisher bereits erfaßten und überprüften Vertrauens-männer-Körper von 2000 stützen könnten."[47]

Neumann hatte schon am 25. Februar 1948 auf die Personalnot der Flücht-lingsbetreuungsstelle hingewiesen. Am 1. April geriet er in dieser Frage mit SPD-Schatzmeister Alfred Nau ernsthaft aneinander. Noch am selben Tag schrieb er in einer Beschwerde an den geschäftsführenden Parteivorstand, bei seiner Einstellung sei von 40 Mitarbeitern die Rede gewesen[48]. Tatsächlich stün-den dem Ostbüro jedoch nur rund 26 Arbeitskräfte zur Verfügung, und in die-ser Zahl seien „Chauffeure, Hausmeister, Nachtwächter, Reinemachefrauen etc. einbegriffen".

Das Ostbüro hatte noch weitere Personalprobleme. So wechselten die Ange-stellten sehr häufig, von 26 im Februar 1948 Beschäftigten waren eineinhalb Jahre später nur noch 14, vier Jahre später gar nur noch neun dem Ostbüro erhalten geblieben. Insgesamt waren zwischen 1948 und 1952 etwa 60 Sozialde-mokraten in der Flüchlingshilfestelle der SPD beschäftigt[49]. Auch die aufwen-dige, restriktive Einstellungsüberprüfung der Mitarbeiter sorgte für Probleme: Wer sich selbst bewarb, den stellte das Ostbüro grundsätzlich nicht ein, und wer als geeignet erschien, der wurde zunächst per Kurierbesuch in der Heimat über-prüft, wo Ostbüro-Mitarbeiter seine Freunde und Bekannten vernahmen. Schließlich mußte er noch zwei Bürgen beibringen[50]. Politische Mitarbeiter konnten überdies nur Personen werden, „deren politische Tätigkeit in der SBZ vor ihrer Flucht bekannt war und die aufgrund dieser Tätigkeit für qualifiziert genug gehalten wurden, illegale Kontakte in ihren früheren Heimatgebieten" zu knüpfen und aufrechtzuerhalten[51]. Manche seiner Angestellten warb das Ost-büro in der SBZ auch regelrecht an; Werner und Gisela Uhlig aus Dresden kamen auf diesem Weg nach Hannover[52].

Walter Ramm, der bis in die sechziger Jahre für das Ostbüro arbeitete, wurde eingestellt, nachdem er zuvor – ohne daß er dazu aufgefordert worden war – in einem Brief an den Parteivorstand seine Erlebnisse als Dresdener SPD-Sekretär

---

[47] Ebenda, Brief von Neumann an den PV, o. Dat.
[48] Ebenda, Brief von Neumann an den PV vom 1. 4. 1948.
[49] Ebenda, Bd. 1948–1952, Personallisten.
[50] Zachmann im Interview vom 24. 2. 1988, S. 17.
[51] Nelke im Interview vom 28. 11. 1987, S. 5.
[52] PATh, Bd. 1948, Brief von Neumann an Nau vom 25. 2. 1948.

und seine Flucht nach der Zwangsvereinigung geschildert hatte[53]. Horst Becker, Mitbegründer des Ortsvereins Wurzen-Oschatz in Sachsen, hatte in seinem sozialdemokratischen Parteibezirk den Berliner *Telegraf* verteilt. Nachdem die Behörden Hausdurchsuchungen und erste Verhaftungen vorgenommen hatten, flüchtete Becker im Januar 1948 in die Westzonen. Hier bat ihn ein halbes Jahr später Sigi Neumann zu sich und bot ihm an, für das Ostbüro zu arbeiten; in dessen Auftrag ging Becker schließlich nach Hannover, Bonn und Berlin und war auch als Kurier unterwegs[54]. Ohne Wartezeit traten nach ihrer Flucht aus der SBZ Helmut und Gerda Strunk in das Ostbüro ein. Die beiden hatten mit dem Ostbüro schon in Verbindung gestanden, als sie in Zwickau noch für eine KPD- und eine SPD-Zeitung tätig gewesen waren[55].

Hermann Witteborn, ab Ende 1947 beim Ostbüro, war in Rostock der einzige von vier SPD-Parteisekretären gewesen, der nicht politisch verfolgt worden war. Auch er hatte schon vor seiner Flucht Berichte für das Ostbüro zusammengestellt, z. B. über die SED-Parteischule in Liebenwalde[56]. Käthe Fraedrich und Charlotte Heyden waren von den sowjetischen Besatzungsbehörden in die UdSSR deportiert worden; die eine hatte keiner politischen Partei angehört, die andere war Stadtratsmitglied für die Liberaldemokratische Partei (LDPD) gewesen. Nachdem Charlotte Heyden aus der Haft entlassen worden war, bat sie der stellvertretende Ostbüro-Chef Stephan Thomas um ihre Mitarbeit. Heyden wiederum empfahl Käthe Fraedrich, und so arbeiteten bald beide in der Berliner Zweigstelle des Ostbüros. Die SPD-Mitgliedschaft war bei einer Einstellung obligatorisch. Die Stenotypistin Jutta Dominiczak, die das Parteibuch nicht vorweisen konnte, wurde aus diesem Grund an einen anderen Arbeitsplatz in der Partei versetzt[57].

Nicht alle Ostzonen-Flüchtlinge waren mit der Arbeit des Ostbüros in Hannover zufrieden. Beschwerden, die geflüchteten Parteifreunde würden in sozialer Hinsicht nicht genügend betreut, erreichten schließlich 1948 den Parteivorstand. Dort klagte Kulturreferent Arno Hennig – er war selbst aus der SBZ in den Westen gekommen –, das Ostbüro presse die Flüchtlinge aus, ohne sich weiter um ihre Lebensumstände zu kümmern. Ollenhauer forderte darum Neumann auf, sich gemeinsam mit der Vorsitzenden der Arbeiterwohlfahrt, Lotte Lemke, darum zu bemühen, „eine Regelung des fürsorgerischen Teils der Angelegenheit zu finden, der es uns ermöglicht, die Beschwerden auf ein Mindestmaß herabzudrücken"[58].

---

[53] PATh, Bd. 1945/46/47, Brief von Ramm an den PV vom 3. 6. 1946 und Antwort von Heine vom 24. 6. 1946.
[54] Becker im Interview vom 26. 7. 1988, S. 1.
[55] Strunk im Interview vom 26. 10. 1988, S. 4.
[56] AdsD, Bestand Schumacher J 34, Bericht vom 18. 8. 1946.
[57] Ebenda, Fall Jutta Dominiczak.
[58] PATh, Brief von Ollenhauer an Neumann vom 7. 8. 1948; dieser Brief ist eine Reaktion auf ein Schreiben von Neumann vom 3. 8. 1948.

Neben solchen organisatorischen Versäumnissen und Mängeln entwickelte sich 1948 ein Konkurrenzkampf zwischen Ostbüro-Chef Neumann und dem früheren thüringischen SPD-Ministerpräsidenten Hermann Brill. Dieser wollte im Westen mit einigen ehemaligen Vorstandsmitgliedern aus dem Osten einen Exil-Landesverband Thüringen installieren und teilte dem Parteivorstand mit, es werde dabei „insbesondere an die Legitimierung von Flüchtlingen und die Leitung der Arbeit in Thüringen via Berlin gedacht"[59]. Wäre dieser Plan in die Tat umgesetzt worden, so hätte das Arbeitsgebiet Thüringen aus dem Ostbüro ausgegliedert werden müssen. Neumann fürchtete, daß dieses Beispiel Schule machen könnte, sich weitere Exil-Landesverbände konstituierten und die Arbeit seines Büros praktisch überflüssig machen würden. Entsprechend scharf wandte er sich gegen Brills Pläne und warnte vor einer dann entstehenden „unqualifizierte[n] und doppelgleisige[n] illegalen Arbeit", die zugleich das Risiko für die Sozialdemokraten im Untergrund erhöhe. Nicht zuletzt gehörten auch zu den eigenen Verbindungsleuten in Thüringen hochrangige ehemalige SPD-Funktionäre[60]. Um die in den Westen geflüchteten hohen Parteifunktionäre nicht zu brüskieren, bildete der Parteivorstand 1949 einen sogenannten Ostzonenbeirat, der ihn in bezug auf die Deutschlandpolitik beraten sollte. Diesem Beirat gehörten dann natürlich Hermann Brill, aber auch ehemalige Angestellte des Ostbüros an.

Berichte und Informanten

Seit der Jahreswende 1947/48 erhielt das Ostbüro immer häufiger Berichte von Sozialdemokraten aus der SBZ. Damit nahm jedoch nicht nur das Wissen über die politischen und gesellschaftlichen Verhältnisse im anderen Teil Deutschlands zu, sondern zugleich auch das organisatorische Chaos in Hannover. Der Umgang mit den eintreffenden Informationen mußte neu organisiert werden. Neumann und Thomas ließen nun ein eigenes Archiv einrichten und differenzierten zwischen verschiedenen Arten von Informanten. Schon in der Anfangsphase hatte das Ostbüro unterschieden zwischen Kontaktpersonen, zu denen es zunächst über Kuriere eine Verbindung hergestellt hatte und die dann bereit gewesen waren, Berichte zu übermitteln, und jenen, die sich selbst bemühten, mit den Stellen in Hannover und Berlin zusammenzuarbeiten[61]. Nun definierte man als *Kontaktpersonen* (abgekürzt mit A, KO oder K) jene Gruppe, die in den Westzonen lebte und dem Ostbüro gelegentlich Erkenntnisse aus ihrem eigenen Tätigkeitsfeld zukommen ließ, wie zum Beispiel Mitarbeiter der Ostbüros anderer Parteien oder auch ehemalige Kommunisten in der SPD. Herbert Wehner

---

[59] AdsD, Ostbüro-Archiv, Bd. 0394c, Brief an den PV, o. Dat.
[60] PATh, Bd. 1948, Brief von Neumann an den PV vom 4. 2. 1948.
[61] Busch im Interview vom 16. 2. 1987, S. 15 f.

hatte beispielsweise die Nummer A 128. *Berichterstatter* (B) wurden jene Sozial-demokraten genannt, die hin und wieder aus der SBZ und späteren DDR in den Westen kamen, um Wissenswertes mitzuteilen. Als *Vertrauensleute* (anfangs B und C, später V) bezeichneten die Mitarbeiter des Ostbüros schließlich ihre eigenen ständigen konspirativ tätigen Informanten, die häufig mit den Zweig-stellen der Organisation zu tun hatten und verschiedentlich auch Propaganda-material mitnahmen, um es im Osten zu verteilen. Darüber hinaus wertete das Ostbüro auch weiterhin die Gespräche mit SBZ-Flüchtlingen (Fl) aus.

Um Informationen zu gewinnen, sprachen die Stellen in Hannover und Ber-lin nicht nur Sozialdemokraten an, sie baten auch ranghohe Mitglieder anderer Parteien, die aus der SBZ geflüchtet waren, um Nachrichten. So berichtete im Oktober 1947 der ehemalige LDPD-Abgeordnete Hellmut Sieglerschmidt über die Zusammensetzung des Landtags in Thüringen; seine detaillierte Aufstellung veröffentlichte der SOPADE-Informationsdienst kurze Zeit später[62]. Einem anderen LDPD-Funktionär schrieb Stephan Thomas 1956: „Wir möchten uns gerne einmal mit Ihnen unterhalten, und schlagen Ihnen vor, im Laufe der nächsten Woche einmal nach Bonn zu kommen. Fahrtkosten und sonstige Aus-lagen werden Ihnen in voller Höhe ersetzt."[63]

Die Westzonen-SPD sammelte Wissenswertes nicht nur, sie gab es auch an die Genossen in der SBZ weiter. Denn, so der V-Mann Dieter Rieke aus Gar-delegen: „Unser Bedürfnis war [es], Informationen zu bekommen", nicht jedoch, „nachrichtendienstliche Arbeiten zu verrichten". Und so kamen die „Kuriere [...], brachten Zeitungen, brachten Sopade-Blätter, die für Mittel-deutschland gedacht waren [...] und meinte[n], es wäre gut, wenn wir für Han-nover auch [Berichte; d. Verf.] schreiben würden, über Demontagen, über den Vollzug der Bodenreform, über die Organisation der Parteien." Auf diese Weise, so Rieke, sei der „nachrichtendienstliche Teil" der Arbeit des Ostbüros entstanden[64]. Die Ostzonen-Genossen brauchten freilich mehr als nur Propa-gandamaterial. „In jedem Kurierbericht kann man nachlesen, welche abseitigen Wünsche von unseren Freunden in der Ostzone an uns herangetragen werden", schilderte Neumann dem Parteivorstand im April 1948. „Der eine Genosse möchte Lebensmittel für einen lungenkranken Freund haben, der andere Fahr-radreifen, der 3. Autoreifen, der 4. Farbbänder, der 5. Medizin, der 6. Benzin usw. usw." Die vorgetragenen Wünsche seien jedoch „nicht etwa nur privater Natur, sondern nach den glaubhaften Berichten unserer Kuriere hängen sie direkt oder indirekt mit der politischen Tätigkeit für uns zusammen"[65].

Die Arbeitsweise der illegalen Gruppen in der SBZ beschreibt der Historiker Franz Thomas Stößel wohl zutreffend so: „Sie diskutierten, sammelten Material

---

[62] AdsD, PV-Bestand, Bd. 01358, Niederschrift von Sieglerschmidt vom 1. 10. 1947.
[63] AdsD, Ostbüro-Archiv, Bd. 0354 A II, Brief von Thomas an Wiegand vom 29. 5. 1956.
[64] Rieke im Interview vom 20. 7. 1988, S. 5.
[65] PATh, Bd. 1948, Brief von Neumann an den PV vom 1. 4. 1948.

über die kommunistische Willkür" und wandten sich, „weil ihnen, wie den anderen Genossen vor Ort, der Weg zu ihren führenden Genossen verbaut war, [...] an die Westberliner und westdeutschen Sozialdemokraten."[66] Insbesondere „Übergriffe, gegen die sie machtlos waren, meldeten sie den westdeutschen Genossen". Ferner „verbreiteten sie eigene und westdeutsche Flugblätter". Diese selbst herzustellen, war nicht ganz einfach, denn das Papier war kontingentiert. Die Genossen mußten sich also etwas einfallen lassen – wie die Gruppe um den V-Mann Dieter Rieke. Diese sorgte dafür, daß die westdeutsche Hilfspolizei eines Tages Einzelheiten über einen geplanten Papiertransport aus der SBZ zur KPD in der britischen Zone erfuhr. Der LKW wurde an der „Grünen Grenze" abgefangen und nach Helmstedt umgeleitet, wo das Papier mit sozialdemokratischen Texten bedruckt wurde. „So hatten wir Informationsmaterial, und damit", meinte der ehemalige Ostbüro-Vertrauensmann Rieke, „begann der aktive Teil der Illegalität in der Weise, daß wir überall unseren Leuten etwas zu lesen gegeben haben."[67] Berichte, so der Ostbüro-Kurier Busch, hätten viele Genossen auch deshalb geliefert, weil es ihnen darum ging, die Ereignisse in der SBZ zu dokumentieren; besonders die Reparationslieferungen an die UdSSR hätten sie beschäftigt[68].

Wer als Sozialdemokrat in der SBZ für das Ostbüro arbeitete, der mußte öffentlich Positionen vertreten, die er aufgrund seiner Überzeugungen eigentlich ablehnte. Er führte ein Doppelleben zwischen Schein und Wirklichkeit. So sah sich Dieter Rieke irgendwann gezwungen, während einer Pressekonferenz des sogenannten Landesnachrichtenamtes (einem Vorläufer der staatlich gelenkten DDR-Presseagentur ADN) einen Artikel zu dementieren, den er selbst für den SPD-nahen Berliner *Telegraf* geschrieben hatte. Das nahm er jedoch schon einen Tag später zum Anlaß für einen diesbezüglichen *Telegraf*-Kommentar[69].

Natürlich hatte die Westzonen-SPD ein Interesse daran, daß ihre illegalen Mitarbeiter im Osten sich als Angestellte staatlicher Institutionen dem von der Militärregierung und der SED dominierten öffentlichen Leben nicht fernhielten. Darum riet das Ostbüro nun verschiedenen V-Leuten, die eigene berufliche Zukunft an den Erfordernissen der konspirativen Nachrichtenbeschaffung zu orientieren. Das tat etwa Helmut Hiller, der sich im Frühjahr 1949 bei den „Volkseigene[n] Erfassungs- und Aufkaufbetrieben" bewarb[70]. Ende 1948 erklärte die Ostbüro-Leitung, es könne notwendig sein, „wieder SED- oder andere Funktionen zu übernehmen, um das weitere Verhalten so einzurichten, daß die SED und die Russen den Eindruck bekommen, die betreffenden Genossen sind wieder ‚zur Vernunft' gekommen"[71]. Auch gelte es, „nach Mög-

---

[66] Stößel, Positionen, S. 200; die folgenden Zitate: ebenda, S. 727, Anmerkungen 201/204.
[67] AdsD, Rieke in einem Interview vom 29. 4. 1975.
[68] Busch im Interview vom 16. 2. 1987, S. 3.
[69] Rieke im Interview vom 20. 7. 1988, S. 3.
[70] Hiller im Interview vom 5. 9. 1987, S. 3.
[71] PATh, Bd. 1948, Informationsbrief Nr. 3, „Geheim".

lichkeit einflußreiche Postionen in der SED, Verwaltung, Wirtschaft, Presse etc. anzunehmen, um die Informations- und Wirkungsmöglichkeiten zu erhöhen". Dies legte auch Ostbüro-Mitarbeiter Petersen (Walter Ramm) dem in der SBZ aktiven V-Mann Fritz Borges nahe[72]. Erst einige Jahre später wurde das Ostbüro vorsichtiger und forderte in einem Flugblatt die „Freunde der Sozialdemokratie" auf, zwar Mitglieder der SED zu bleiben, aber keine Parteifunktionen mehr auszuüben[73].

Nicht alle Sozialdemokraten in der SBZ wollten sich auf ein solches, vom Ostbüro gewünschtes Doppelleben einlassen: „Wenn ich jetzt in die Ostzone zurückkomme und man mich in Ruhe läßt, nehme ich keine Arbeit an, auch nicht zur Tarnung", kündigte ein Genosse an. „Bei mir gibt es nichts zu tarnen, weil die Besatzungsarmee genau weiß, wo ich politisch stehe, es ist nur nicht bekannt, ob ich mit dem Westen in Verbindung stehe. Ich will mich zurückhalten und Rentenantrag stellen, um als Rentner zu erscheinen. Wirtschaftlich bin ich so gestellt, daß ich leben kann", erklärte der rückkehrwillige Hannover-Besucher in seinem Brief an das Ostbüro. Seine Resignation und der Wunsch, einfach nur den Kontakt zur „sozialdemokratischen Familie" aufrechtzuerhalten, können als typisch für die Stimmung vieler Parteimitglieder aus dem Osten gelten: „Ich will dann meine freie Zeit benützen", heißt es in diesem Brief, „nur um meine alten Parteigenossen zu besuchen."[74]

Zu den Kontaktpersonen des Ostbüros zählten nur wenige führende Sozialdemokraten, die nach der Zwangsvereinigung zur SED gegangen waren. Hier wären vor allem Fritz Drescher, Arno Haufe und Arno Wend zu nennen. Haufe und Wend waren nach der Vereinigung für einige Monate bzw. eineinhalb Jahre Landessekretäre der neugeschaffenen SED, bis sie diese Positionen wieder aufgeben mußten. Schon vor der Zwangsvereinigung hatte Kurt Schumacher über Kuriere den Kontakt zu Hermann Kreutzer und dessen Familie aufgenommen, weil er ihn vom Standpunkt der West-SPD in der Vereinigungsfrage überzeugen wollte. Kreutzer leitete im Landkreis Saalstedt/Rudolstadt eine illegale SPD-Gruppe mit etwa 100 Mitgliedern. Deren Zentrale war die Thüringer Handelskammer, wo der Genosse Baumeister – den Dortmunder hatte es nach seiner KZ-Haft hierher verschlagen – über Telefon und andere technische Mittel verfügte. Trotz dieser relativ zufriedenstellenden Arbeitsbedingungen sei die illegale Tätigkeit der Gruppe „sehr amateurhaft" und „zu ineffektiv gewesen". Dennoch sei die Parole gewesen: „Durchhalten, das bleibt nicht ewig", denn die Alliierten würden die Verhältnisse schon noch ändern[75].

Die sieben oder acht Mitglieder der Zwickauer Gruppe Koch waren auf mehreren Gebieten konspirativ tätig. Sie sammelten Informationen in ihren

---

[72] AdsD, Ostbüro-Archiv, Bd. 0337 II, Bericht von Borges vom 12. 8. 1955.
[73] PATh, Bd. 1952, Flugblatt „Die Krise in der SED" vom März 1952.
[74] Stößel, Positionen, S. 199.
[75] Kreutzer im Interview vom 18. 2. 1988, S. 3 f.

eigenen Arbeitsbereichen, in Wirtschaft und Polizei, und verteilten zudem selbstgedruckte Flugblätter[76]. Andere, wie die illegale Gruppe um Majunke, holten dagegen nur ein paar Schriften im Ostbüro ab, um sie innerhalb der eigenen Gruppe zirkulieren zu lassen. Wollten die Genossen einmal frei diskutieren, dann tarnten sie sich auch mit Methoden, die schon die unter Bismarck verfolgten Sozialdemokraten angewandt hatten. Sie zogen als Wandervögel in die freie Natur oder gingen gemeinsam zum Sport[77].

Die Ostbüro-Leitung ließ bei der Auswahl der Informanten äußerste Vorsicht walten. Sie erklärte darum 1948, erst „nach einer erschöpfenden politischen und charakterlichen Beurteilung" könne an eine „organisatorische Einbeziehung des betreffenden Genossen in unsere Arbeit" gedacht werden[78]. Auch zu junge und unerfahrene Genossen sollten als Mitarbeiter nicht in Betracht kommen. „Für so junge Leute ist die illegale Arbeit nichts", belehrte Sigi Neumann den nach der NDPD-Gründung demonstrativ aus der SED ausgetretenen Franklin Schultheiß. „Ihr verkennt das Risiko, wißt nichts von den Schwierigkeiten." Doch Schultheiß und seine Leute ließen sich nicht entmutigen. Über den Coburger SPD-Unterbezirk bezogen sie Flugblätter und verteilten sie; im Gegenzug lieferten sie Sitzungsprotokolle des Thüringer Landtages, die sie in der Universitätsbibliothek in Jena „besorgt" hatten[79].

Eine interne Anweisung für die illegale Arbeit in der SBZ von 1948 macht deutlich, wie das Ostbüro die konspirativ agierenden Gruppen zu schützen versuchte. Bei allen Aktionen müsse die Sicherheit der Sozialdemokraten in der SBZ gewährleistet bleiben, um dafür zu sorgen, daß „unsere Genossen das zur Zeit in der Ostzone herrschende Regime überleben". Darum seien beispielsweise „Flugblatt- und Klebeaktionen dann nicht vorzunehmen [...], wenn dadurch eine Gefährdung von Genossen verursacht werden könnte". Alle maßgeblichen Parteimitglieder hätten entsprechenden Vorhaben im voraus zuzustimmen: „Bei Unklarheit und mangelnder Übereinstimmung über geplante Aktionen wird es sich immer empfehlen, unsere Entscheidung einzuholen."[80] Aufgrund derselben Überlegungen sollten die Gruppen nach Auffassung der Ostbüro-Verantwortlichen nicht mehr als fünf Mitglieder zählen; nur eines der fünf sollte dabei in Kontakt zum Ostbüro stehen[81]. Doch diese Vorgaben wurden in der Realität nicht selten ignoriert. So bestand die Gruppe Behnisch, die im Oktober 1951 teilweise aufflog, aus 15 Genossen; sie war allerdings zuvor schon einmal geteilt worden. Die 21 Mitglieder der Gruppe Behnisch II (oder Barbe) wurden Ende 1951 in Cottbus verhaftet[82].

---

[76] Kunze im Interview vom 20. 4. 1988, S. 1.
[77] Majunke im Interview vom 1. 6. 1988, S. 1.
[78] PATh, Bd. 1948, Informationsbrief Nr. 3, „Geheim".
[79] Schultheiß im Interview vom 11. 4. 1988, S. 3.
[80] PATh, Bd. 1948, Informationsbrief Nr. 3, „Geheim".
[81] Ebenda.
[82] AdsD, Ostbüro-Archiv, Bd. 0421, Bericht vom 1. 4. 1954.

II. Der Aufbau eines Ostbüros in Berlin (1948)

Sozialdemokraten, die sich der neuen Einheitspartei SED nicht anschließen wollten, waren wie in der übrigen sowjetischen Besatzungszone auch in Berlin zunehmendem Druck ausgesetzt. Viele von ihnen flüchteten in die Westsektoren der Stadt. Gleich nach dem Vereinigungsparteitag von SPD und KPD gründete die West-Berliner SPD im Mai 1946 deshalb ein „Ostsekretariat", das die Neuankömmlinge betreuen und ihre Informationen aufzeichnen sollte. Zudem hatte es die Aufgabe, „alle organisatorischen Vorbereitungen zu treffen, um bei der Zulassung der Partei [im sowjetischen Sektor Berlins] auch dort sofort mit dem Aufbau beginnen zu können. Zu diesem Zweck wurde ein Netz von Vertrauensleuten geschaffen, denen die Aufgabe gestellt war, lose Beziehungen zu den sich zur Sozialdemokratie bekennenden ehemaligen Mitgliedern zu halten und neu aufzunehmen."[1] Dieses Sekretariat war als Abteilung IIb direkt dem Landesvorstand unterstellt; wie er hatte es seinen Sitz in der Ziethenstraße.

Zunächst leitete Walter Kiaulehn[2] das Sekretariat, aber noch 1946 löste ihn Ernst Moewes[3] ab. Als auch Moewes – der gelegentlich mit dem Ostbürochef Dux in Hannover zusammenarbeitete[4] – Mitte 1947 seinen Sessel räumte, erhielt der Berliner SPD-Vorsitzende Franz Neumann Berichte, die den gerade Ausgeschiedenen nicht ins beste Licht rückten[5]. So hieß es darin unter anderem, Moewes arbeite mit ostdeutschen Gruppen zusammen, um mit ihnen „unter seiner Leitung eine Oppositionspartei der Unzufriedenen zu gründen. Es ist bekannt, daß M. über sehr umfangreiches Karteimaterial über ostzonale Polizeieinheiten verfügt. [...] Bedingt durch die unhaltbaren häuslichen Zustände, aus denen er sich lösen möchte, und die Kränkungen, die er durch die SPD erlitten hat, wird er ständig mehr in den Einfluß der östlichen Sphäre getrieben[6]."

Auf Moewes folgte noch 1947 Erwin Wilke sowie vermutlich zum 1. Mai 1948 Rudi Heuseler[7]. In einem Brief an den Parteivorstand Anfang 1948

---

[1] SPD-Landesverband Groß-Berlin, Jahresbericht 1946–47 (April 1947).

[2] Franz-Neumann-Archiv (FNA), Berlin, ungeordnet, Organisationsplan des LV Berlin vom 12.7. 1946.

[3] Vgl. Kühne, Kuriere, S. 32.

[4] AdsD, Ostbüro-Archiv, Bd. 0391, Bericht vom 18. 1. 1947.

[5] FNA, Unterlagen Staffelt, ungeordnet.

[6] Ebenda, o. Dat.

[7] Vgl. Kühne, Kuriere, S. 32; Leserbrief von Richter in der Fuldaer Zeitung vom 4. 2. 1977.

erwähnte Sigi Neumann allein Wilke: „In Berlin haben wir in der Ziethenstraße (Parteihaus) einen Betreuer für evtl. auftauchende Flüchtlinge und V-Leute, der aber nur nach unserer strikten Anweisung handelt, keinerlei Kontakte in die Zone hineinträgt, sondern nur Auffangstelle zur Weiterleitung von Informationen oder Materialien an uns darstellt."[8] Im Auftrag des Landesverbandes befaßte sich später Willi Weber mit dieser hauptsächlich caritativen Aufgabe[9], und auch dem Arbeitsbereich des Sekretärs für Jugendfragen, Otto Schmidt, soll das Büro eine Zeitlang zugeordnet gewesen sein[10].

Nachdem die SPD in ganz Berlin wieder zugelassen worden war, erhielt das Ostsekretariat andere Aufgaben. Mit seiner Hilfe, so kündigte Erich Ollenhauer im Juni 1946 vor dem Parteivorstand an, wolle der Berliner Landesverband versuchen, „direkten Kontakt mit den Genossen in der Ostzone zu behalten, die zwangsweise SED-Mitglieder geworden sind"[11].

Publikationen aus der sowjetischen Besatzungszone und der späteren DDR nennen als Gründungsdatum des Berliner Ostbüros den April 1946[12] oder, genauer, den 10. April 1946[13]. Der SPD-Vorsitzende Schumacher selbst habe das Büro gegründet und gleich anschließend zur Feier des Ereignisses ein Bankett gegeben, an dem auch Amerikaner und Briten beteiligt gewesen seien. Schumacher habe den westlichen Schutzmächten dabei zugesagt, sämtliche durch das Ostbüro gewonnenen Informationen an sie weiterzuleiten[14]. Einmal abgesehen davon, daß eine solche Informationspolitik kaum Schumachers politischer Linie entsprochen hätte – der SPD-Vorsitzende hatte mit den Besatzungsmächten immer wieder Auseinandersetzungen –, befand er sich an diesem Tag nicht in Berlin, sondern in Hannover. Erst eine Woche später, vom 16. bis zum 25. April 1946, hielt er sich tatsächlich in der Sektorenstadt auf[15]. Offensichtlich erfuhren auch die sowjetischen Sicherheitsbehörden davon und verlegten darum das Gründungsdatum des Berliner Ostbüros in einer wenig später erschienenen Propagandaschrift auf Ende 1946[16].

Da vom Berliner Ostsekretariat, dessen Tätigkeit sich auf den Ost-Berliner Raum samt Umgebung beschränkte, nur wenige Informationen kamen, hielt sich im Auftrag des Parteivorstandes Annemarie Renger, Sekretärin und enge Mitarbeiterin des Parteivorsitzenden, in Berlin auf und informierte das Ostbüro in Hannover regelmäßig, von Mitte Oktober 1946 an wöchentlich, über politi-

---

[8] PATh, Brief von Neumann an den PV, o. Dat. (Anfang 1948).
[9] Brief Kurt von Haase an den Verf. vom März 1988.
[10] H. G. Weber im Interview vom 20. 11. 1988, S. 2.
[11] AdsD, PV-Protokoll vom 4. 6. 1946.
[12] Vgl. Sächsische Zeitung vom 29. 11. 1958, S. 11: Was hinter dem Ostbüro steckt.
[13] Das Spionagezentrum Ostbüro, in: Deutsches Institut für Zeitgeschichte, Heft 51 vom 1. 8. 1953, S. 2795; vgl. Lohrenz, Hinter den Kulissen, S. 18.
[14] Vgl. ebenda.
[15] PATh, Terminkalender Schumacher (Kopie).
[16] Vgl. Kühne, Kuriere, S. 5.

sche Vorgänge in der SBZ und in Ost-Berlin[17]. Vom begrenzten Wirkungsradius abgesehen, glichen die Aufgaben der Berliner Stelle weitgehend denen des SPD-Ostbüros in Hannover. Auch die Berliner schickten Informanten zu öffentlichen und nicht-öffentlichen SED-Veranstaltungen – entsprechende Mitschriften finden sich im Franz-Neumann-Archiv in Berlin[18] – und verteilten Flugblätter und Klebezettel: Etwa 30000 davon brachten Moewes und Wilke allein im Dezember 1947 und im Januar 1948 in den Ostteil der Stadt[19].

Freilich stand das Berliner Ostsekretariat vor den gleichen Problemen wie sein Pendant in Hannover. So wollten viele Genossen im Osten zwar den Kontakt zu den Sozialdemokraten in den Westzonen nicht abreißen lassen, doch unterhielten sie lieber persönliche Verbindungen zu prominenten Parteiführern als zum Ostsekretariat. So berichtet beispielsweise Julius Bredenbeck, der erste Präsident des Kulturbundes in der SBZ, auch ihm seien die Kontakte zu Ernst Reuter, Luise Schröder und Paul Löbe wichtiger gewesen als die zum Ostsekretariat, von wo man nur politisches Material bekam. Mit den erwähnten Genossen habe man dagegen „intensiv Kontakt" gepflegt und gemeinsam „unsere Taktik festgelegt"[20].

Schon recht früh hatte Kurt Schumacher erwogen, in Berlin eine reguläre Außenstelle des Hannoveraner Ostbüros zu gründen. Anfang 1947 sollte darum der Berliner Sozialdemokrat Kurt Schmidt mit der „Ostzonenarbeit in Berlin offiziell" betraut werden, doch Schmidt starb wenige Monate später im Alter von 35 Jahren an den Folgen einer Operation[21]. Überdies fehlte es an Räumlichkeiten, und zudem waren die Alliierten mit Schumachers Plänen nicht einverstanden; sie wollten keine Außenstelle Hannovers in Berlin. So enthält der Monatskalender des Parteivorstandes im September 1947 die Notiz: „Pfefferkorn. Zurück von Berlin. Seine Mitarbeit im Ostbüro Berlin nicht zustande gekommen. Pfefferkorn hat nach dem ablehnenden Bescheid der Amerikaner Bedenken hinsichtlich der Erfolge eines Berliner Büros."[22] Erst im Dezember 1947 konnte Franz Neumann dem Parteivorsitzenden Schumacher berichten, auf Vermittlung des amerikanischen Rias-Direktors William F. Heimlich sei es nun endlich möglich, ein Büro einzurichten: „Vor einigen Tagen war ich bei Oberst Heimlich. Er ist bereit, auf Anforderung sofort ein günstig gelegenes Haus für Sigi [Neumann] zur Verfügung zu stellen."[23]

Es geschah dennoch nichts, und so schlug man in Hannover Anfang 1948 erneut vor, in Berlin solle „ein Treffpunkt oder ein Büro" eingerichtet werden,

---

[17] AdsD Renger, Bestand Schumacher J 34, Brief an Heine vom 24. 10. 1946.
[18] FNA, Unterlagen Staffelt, Teil III.
[19] AdsD, Ostbüro-Archiv, Bd. 0394 c, Bericht vom 17. 1. 1948.
[20] Bredenbeck im Interview vom 28. 11. 1987, S. 6 f.
[21] AdsD, Ostbüro-Archiv, Bd. 0395 I, Aktenvermerk vom 17. 3. 1947; Hurwitz, Zwangsvereinigung, S. 103.
[22] AdsD, PV-Protokolle, Bd. 1947.
[23] FNA, Unterlagen Staffelt, Bd. IV, Brief von Neumann vom 10. 12. 1947.

da die Stadt „für die Genossen aus der Ostzone [. . .] leichter erreichbar sei" als das Hannoveraner Ostbüro[24]. Außerdem solle versucht werden, „zehn gute Berliner Genossen" zu finden, in deren Wohnung sich die Kuriere aus der SBZ melden könnten. Etwaige Spitzel würden dann „ins Leere" laufen. Im Februar 1948 teilte Sigi Neumann, seit dem 1. Juli 1947 Chef des Ostbüros in Hannover, dem Genossen Alfred Nau mit: „Das Berliner Büro ist dringlicher denn je, zumal wir damit rechnen müssen, daß die wichtigsten Freunde aus der Zone nicht mehr so leicht die Möglichkeit [haben werden], nach Hannover zu kommen [. . .], wie es bisher der Fall war. Hierfür habe ich bisher noch nicht den geeigneten Mann gefunden. Sollten wir jedoch schon in allernächster Zeit die entsprechenden Räume (Einfamilienhaus) bekommen, so habe ich vorgesehen, für einige Wochen den Genossen Greskowiak [gemeint ist Stephan Grzeskowiak alias Thomas] zum Aufbau des Berliner Büros nach dort zu schicken."[25]

Im Frühjahr 1948 ging Stephan Thomas tatsächlich nach Berlin; Neumann hatte ihn zuvor ausdrücklich vor Willy Brandt gewarnt, der dort den Parteivorstand vertrat[26]. Dennoch gewann Thomas von Brandt, bei dem er übernachtete und dessen Dienstwagen er benutzte, schon bald einen positiven Eindruck. Er bereitete nun die Gründung einer Zweigstelle des Ostbüros vor. Ab März 1948 unterrichtete die Partei ihre Mitglieder im Osten Deutschlands entsprechend. Demnächst gebe es, so erfuhr zum Beispiel Wilhelm Henning aus Wismar, eine „besondere Zentrale für Ostfragen [. . .], deren Aufgabe es sein werde, mit zuverlässigen SPD-Mitgliedern in allen Ländern der Ostzone Fühlung aufzunehmen"[27].

Ausbau des Kuriersystems

Die Kontakte zwischen dem Ostbüro und den Sozialdemokraten in der SBZ wurden grundsätzlich „nicht auf dem Postwege hergestellt, sondern durch Kuriere angeknüpft und aufrecht erhalten"[28]. Kuriere wurden so zum Rückgrat der illegalen Tätigkeit des Ostbüros unter Sigi Neumann. Meist waren es junge Leute, die mit großem Idealismus die Sache der Partei unterstützten und bei den Fahrten in die SBZ nicht selten ihr Leben aufs Spiel setzten oder zumindest langjährige Haftstrafen riskierten[29]. Die Ostbüro-Kuriere hatten verschiedene Aufgaben: Zum einen sollten sie die Verbindung zu den alten Genossen nicht abreißen lassen und Informationen über das politische Vorleben von – angeblichen oder wirklichen? – Sozialdemokraten einholen, die in den Westen

[24] AdsD, Ostbüro-Archiv, Bd. 0394, Ratschläge für die Ostzonenarbeit, Fragment, Anfang 1948.
[25] PATh, Bd. 1948, Brief von Neumann an Nau vom 25. 2. 1948.
[26] PATh, ungeordnet, Geheime Aktennotiz von Thomas vom 26. 11. 1962.
[27] Verhaftungsbericht von Wilhelm Henning von 1956, im Besitz des Verf.
[28] PATh, Bd. 1951, Informationsbrief Nr. 3.
[29] PATh, Bd. 1951, Manuskript von Thomas für PV-Sitzung, S. 7.

geflüchtet waren, und Berichte über Ereignisse in der SBZ in den Westen transportieren. Zum anderen sollten zumindest einige der Kuriere gelegentlich auch
Propagandamaterial und Handlungsanweisungen für ostdeutsche Genossen in
die SBZ schleusen. Gerade in der Anfangszeit hatten die Kuriere zudem die
Aufgabe, gefährdete Sozialdemokraten in der sowjetischen Zone zu warnen
und zur Flucht in die Westzonen zu veranlassen. Der Einsatz der Kuriere verei-
telte so zahlreiche Verhaftungen, wie aus einer Notiz Stephan Thomas' aus dem
Jahr 1952 hervorgeht[30].

Die ersten noch erhaltenen Kurierberichte stammen vom Januar 1947,
zusammengestellt von einem Kurier namens Hahnemann. Dieser suchte weniger Einzelpersonen als vielmehr „halbe Ortsvereine" auf und führte über die
Anwesenheit ihrer Mitglieder bei lokalen Sitzungen und die möglichen Gründe
ihres Nichterscheinens penibel Protokoll: „Behle, der immer verspricht, Material zu beschaffen, hält dies niemals ein. Es erweckt den Anschein, als ob sich
Behle für die Zukunft Rückendeckung verschaffen will."[31] In Situationen, die
eher konspiratives Vorgehen erfordert hätten, schien Hahnemann sich dagegen
doch ein wenig zu sorglos zu verhalten. Material zum Beispiel, das er einer
Genossin in Dresden aushändigen sollte – die sich aber gerade auf der Reichs-
schule der SED in Liebenwalde aufhielt –, gab er einfach bei deren Eltern ab.

Neben Hahnemann arbeiteten später Jochen Bargmann und Winfried Busch
– sie waren meist gemeinsam unterwegs – sowie Richard Lehners als Kuriere
für das Ostbüro. Im Frühjahr 1947 erweiterte sich der Kreis um den Genossen
Ehring[32], im Februar des darauffolgenden Jahres kam der junge Bremerhavener
Heinz Kühne dazu. Auch Karl-Heinz Schmiedel war zu dieser Zeit als Kurier
tätig. Weitere Namen nannte Sigi Neumann in einem Schreiben an Alfred Nau
vom Februar 1948. Danach hatten auch die Genossen Ernst Knüppel, Gürtler
und Möller sowie probeweise Grosse und Bartsch als Kuriere für das Ostbüro in
der SBZ gearbeitet[33].

Die Kurierfahrten begannen und endeten normalerweise in Berlin, wo sich
die jungen Leute nach ihrer Ankunft mit dem alliierten Militärzug aus Hannover über die letzten Vorkommnisse in der SBZ erkundigten. Dort warnte man
sie auch vor verstärkten Kontrollen. Auf ihren Touren in die SBZ sollten die
Ostbüro-Kuriere dann meist eine Handvoll Parteifreunde aufsuchen[34]. Doch
die Zahl der Kuriere nahm stetig ab, und zugleich wuchs der Kreis der Vertrauensleute in der SBZ, an die sie sich wenden sollten; auch das Risiko, entdeckt
zu werden, stieg. Winfried Busch und Karl-Heinz Schmiedel ließen während
einiger Kurierfahrten zudem alle Regeln der konspirativen Arbeit außer acht

---

[30] Ebenda.
[31] AdsD, Ostbüro-Archiv, Bd. 0394 c, Kurierbericht von Hahnemann vom Januar 1947; dort auch die folgende Begebenheit.
[32] AdsD, Ostbüro-Archiv, Bd. 0421, Haftbericht von Jelonneck vom 23. 2. 1954.
[33] PATh, Bd. 1948, Brief von Neumann an Nau vm 25. 2. 1948.
[34] Busch im Interview vom 16. 2. 1988, S. 19.

und besuchten ihre in der SBZ lebenden Eltern. Das hatte, wie sich später zeigen sollte, fatale Folgen.

In Ostdeutschland mußten die Kuriere nicht nur Berichte entgegennehmen, die für den Transport in den Westen bestimmt waren. Winfried Busch berichtet, ein Genosse habe ihm bei einem seiner Besuche sogar eine Parteifahne und ein Bild August Bebels übergeben, mit beiden habe er dann gezwungenermaßen die Heimreise angetreten[35]. Im Normalfall kehrten die Kuriere aber nur mit einem verschlossenen Briefumschlag zum Berliner Ostbüro zurück, der ihr in der SBZ gesammeltes Material enthielt. Für die Weitergabe nach Hannover sorgte dann die Berliner SPD[36], während die Kuriere selbst mit den alliierten Militärzügen der Reichsbahn weiterreisten, für die man keinerlei Interzonenpässe benötigte.

Diese Verbindung funktionierte, bis die Sowjets begannen, Deutschen die Fahrten von und nach Berlin in den alliierten Militärzügen zu verwehren. Zum ersten Mal geschah dies am 24. Januar 1948, als die sowjetischen Behörden den britischen Zug Berlin-Bielefeld stoppten und die Waggons mit deutschen Reisenden einfach abkoppelten. Ein ähnlicher Vorfall ereignete sich nur zwei Tage später, so daß die alliierten Züge schließlich keine Deutschen mehr mitnahmen. Fritz Tinz, der im Februar 1948 als neuer fester Mitarbeiter des Ostbüros in Hannover eingestellt werden sollte, hatte dadurch zwei Monate lang keine Möglichkeit, von Berlin aus die britische Zone zu erreichen[37]. Noch vor dem Beginn der Berliner Blockade mußte das Ostbüro deshalb seine Kuriere auf dem Luftweg transportieren, wozu man in Hannover auf die Unterstützung der Alliierten angewiesen war. Alle anderen Wege in die SBZ blieben versperrt. Gewöhnlich wickelte das Organisationsreferat der Partei die notwendigen Formalitäten ab, was sich oft recht umständlich gestalten konnte. So war zum Beispiel jeder einzelne Flug den britischen Militärbehörden gegenüber zu begründen. In einem Schreiben, das Günther Ortloff, der Leiter des Referates, an den britischen Offizier Winmill richtete, heißt es entsprechend: „Unser Angestellter Harry Hoffmann soll als Kurier in der Zeit zwischen dem 20. und 30. Oktober für unser Büro Informationsmaterial sammeln und weiterleiten."[38]

Erste Festnahmen

Mit der Intensivierung der konspirativen Tätigkeit im Osten erhöhte sich unweigerlich das Risiko, entdeckt zu werden. Als einer der ersten flog am 18. November 1946 Wilhelm Lohrenz, ein Kurier des Berliner Ostsekretariats, in Finsterwalde auf. In Cottbus wurde er dem sowjetischen Geheimdienst

---

[35] Ebenda, S. 20.
[36] Ebenda, S. 24 f.
[37] PATh, Bd. 1948, Brief von Neumann an Nau vom 25. 2. 1948.
[38] AdsD, PV-Akten, Bd. 01882, Antrag von Ortloff an Winmill vom 14. 10. 1948.

übergeben[39] und am 19. Dezember in das Potsdamer Gefängnis eingeliefert. Lohrenz wurde dort ein halbes Jahr lang verhört, in fensterlosen Zellen eingekerkert, von den Vernehmern geprügelt und in eine mit Wasser überflutete Zelle gesperrt. Im Mai 1948 unternahm er einen Selbstmordversuch[40]. Einen Monat später, am 16. Juni 1948, zwang man ihn schließlich, ein Geständnis zu unterschreiben, das anschließend in zahlreichen Zeitungen der SBZ veröffentlicht wurde. In seinem Buch[41], das nachweislich falsche Angaben enthält und in seiner Machart nur eine unter vielen vergleichbaren Publikationen ist, schildert Lohrenz als „reuemütiger Sozialdemokrat" die – natürlich – falschen Entscheidungen der angeblich kleinbürgerlichen Clique um den ersten Landesvorstand der West-Berliner SPD. Kurt Swolinsky, Karl-J. Germer und Franz Neumann, die in Berlin die Einheit der Arbeiterklasse zerstört hätten, seien zugleich für die Zusammenarbeit des Ostbüros mit dem britischen und amerikanischen Geheimdienst verantwortlich.

Am 27. Juni 1948 verlas Walter Ulbricht das erzwungene Lohrenz-„Geständnis" vor dem Zentralsekretariat der SED. Daraufhin herrschte, so Erich Gniffke, zunächst „betretenes Schweigen". Gniffke, der als Sozialdemokrat SED-Mitglied geworden war, hatte den Auftrag, vor der 11. Parteivorstandstagung am 29./30. Juni 1948 in Berlin zum Fall Lohrenz Bericht zu erstatten. In seinen Äußerungen warnte er die versammelten SED-Genossen vor „Gespenstern"; Grotewohl hingegen griff die angeblichen Lohrenz-Enthüllungen in seinem Schlußwort auf. Das Neue Deutschland veröffentlichte sein Pamphlet schon am folgenden Tag[42]. Fritz Schreiber und Erich Gniffke, die beide das Lohrenz-Geständnis nicht für authentisch hielten, sahen in diesen Ereignissen den Beginn einer Kampagne gegen ehemalige Sozialdemokraten in der SED[43]. Wilhelm Lohrenz selbst wurde nach seinem „Geständnis" erstaunlich gut behandelt. Unter der Bedingung, daß er mit seiner Familie nach Dresden übersiedle, entließen ihn die Behörden im Dezember 1949 aus dem Zuchthaus Schönhausen, in das er unterdessen verlegt worden war. Lohrenz konnte dann eine Stelle beim sowjetischen Informationsbüro antreten, bevor er ein Jahr später mit seiner Familie nach Berlin flüchtete[44].

Auch Richard Lehners, ein Kurier des Ostbüros in Hannover, wurde schon recht bald enttarnt. Ihn sprach im Januar 1948 die Dresdner Bahnpolizei unter seinem Decknamen „Hein" an, doch geistesgegenwärtig legte der Kurier seinen echten, auf den Namen Lehners ausgestellten Ausweis vor. Unbehelligt kehrte er in den Westen zurück und berichtete der Leitung des Ostbüros von dem Vor-

---

[39] PATh, Bd. 1951, Manuskript von Stephan Thomas für den PV 1951, S. 23.
[40] PATh, Bd. 1950, Haftbericht von Lohrenz vom 25. 9. 1950.
[41] Vgl. Lohrenz, Hinter den Kulissen.
[42] Vgl. Stößel, Positionen, S. 336 (Stößel nach Nachlaß Gniffke, Schreiben vom 18. 2. 1949).
[43] Vgl. Gniffke, Jahre, S. 316 f.
[44] PATh, Bd. 1950, Manuskript von Thomas für PV-Sitzung, S. 23.

fall[45]. Obwohl allen Beteiligten klar sein mußte, daß die ostdeutschen Behörden nun Lehners' Identität kannten, reiste dieser im März 1948 leichtsinnigerweise erneut in die SBZ und gefährdete damit seine Kontaktleute im Osten. Er übernachtete, wie üblich, bei sozialdemokratischen Vertrauensleuten; unter anderem zwei Tage lang bei Curt Eckhardt in Erfurt. Einen Tag nach seiner Abreise wurden Eckhardt und sechs Mitglieder seiner Gruppe festgenommen[46]. Die Dresdener Gruppe um Arno Wendt, wo Lehners im Januar gewesen war, geriet im Juli 1948 in Haft.

Diese Vorgänge mußten auch dem später aus Berlin verschleppten Kurier Heinz Kühne bekannt gewesen sein. Dennoch bezeichnete er Lehners in seiner als Buch veröffentlichten Selbstbezichtigung als einen der „besten Kuriere des Ostbüros"[47]. Zwangen ihn die ostdeutschen Behörden möglicherweise, dies zu schreiben, weil sie verschleiern wollten, daß sie um den tatsächlichen Sachverhalt wußten? Daß ein Zusammenhang zwischen den Besuchen der Kuriere und den Verhaftungen ostdeutscher Genossen bestand, war inzwischen auch anderen klar geworden, wie der ehemalige Vertrauensmann Dieter Rieke aus Gardelegen berichtete: „Es war eine recht heikle Arbeit, weil wir gemerkt haben, in Mecklenburg oder in Sachsen-Anhalt wurden unsere Leute verhaftet. Meistens nach Besuchen von Kurieren. Da wurden wir langsam hellhörig, es kamen Zweifel auf, aber es gab keinen Weg mehr zurück."[48]

Auch Winfried Busch wurde Anfang 1948 verhaftet, als er während einer Kurierfahrt in Mühlhausen/Thüringen seine Eltern besuchte. Busch war als angeblicher britischer Spion denunziert worden. Schon nach seinen ersten Besuchen in der SBZ hatte ihn der britische Geheimdienst in der Nähe von Hannover festgesetzt und vernommen; ein dabei anwesender früherer SS-Sturmführer namens Hans Hoffmann, der später zu den Sowjets übergelaufen war, hatte Buschs Namen den sowjetischen Sicherheitsbehörden preisgegeben, die natürlich sofort zugriffen, als sie seiner habhaft werden konnten. Mit demselben Hans Hoffmann hatte auch der Kurier Karl Gundlach in der Haft zu tun. Gemeinsam in eine Zelle gesperrt, schlug Hoffmann Gundlach vor, er solle die eigene Lage doch zumindest mit Teilgeständnissen verbessern[49].

Als der Kurier Ernst Knüppel[50] Anfang 1948 versuchte, bei Döhren in die SBZ zu gehen, nahm ihm die ostdeutsche Polizei den (durch einige manipulierte Eintragungen) verfälschten Ausweis ab. Zwar konnte Knüppel sich selbst einer Verhaftung entziehen, doch er versäumte es, seine Vertrauensleute in der SBZ

---

[45] PATh, Bd. 1948, Kurierbericht von Lehners vom 27. 1. 1948.
[46] AdsD, PV-Bestand, Bd. 01179, Brief von Eckhardt an Willy Brandt vom 30. 10. 1963.
[47] Kühne, Kuriere, S. 24.
[48] Rieke im Interview vom 20. 7. 1988, S. 8.
[49] AdsD, Ostbüro-Archiv, Bd. 0421, Haftbericht von Gundlach ca. April 1956.
[50] Möglicherweise hieß er auch mit tatsächlichem Namen Fritz Sander und wurde im Oktober 1951 aus der SPD ausgeschlossen, AdsD, Ostbüro-Archiv, Bd. 0444.

rechtzeitig zu warnen[51]. Nach den ersten Verhaftungen, und erst recht nach dem Ausscheiden Bargmanns (nach der Verhaftung seines Freundes Winfried Busch) und Lehners' hatte Ostbürochef Sigi Neumann erhebliche Probleme, den Kurierdienst in den Osten weiter wie bisher aufrechtzuerhalten. Noch im Februar 1948 schrieb er an Nau: „Obwohl die Arbeit bedeutend angewachsen ist, haben wir im Moment – wenn wir den neu angestellten Kühne schon einbeziehen – nur drei Kuriere. Im Moment ist das der schwächste Punkt in unserem Büro und all meine Bemühungen konzentrieren sich darauf, geeignete Kuriere zu finden. Wir müssen es in den nächsten Wochen oder Monaten schaffen, wieder auf den alten Stand zu kommen."[52]

Doch Neumann blieb wenig Zeit, seinen Apparat zu reorganisieren. Denn schon bald kam es in der SBZ zu ersten Massenverhaftungen von Sozialdemokraten, die auf direktem oder indirektem Wege mit dem Ostbüro in Verbindung gestanden hatten. In einem Schreiben an Heine schlug Neumann deshalb vor, die Westzonen-SPD müsse sich auf eine Art und Weise revanchieren, „daß der Gegenseite Hören und Sehen vergeht. Es ist einfach unerträglich, mit gebundenen Händen zusehen zu müssen, wie unsere Genossen Freiwild sind, die wir registrieren, und bestenfalls hinterher die Dinge propagandistisch verwerten und für die Opfer sammeln. Ich habe mir während der ganzen [Pfingst]Feiertage [in der Woche zuvor wurden Sozialdemokraten in der Altmark verhaftet] die Dinge reiflich überlegt, und bin der Ansicht, daß wir [. . .] zu Repressalien greifen. Wir müssen für jeden verhafteten SPD-Funktionär zwei bis drei bekannte KP-Funktionäre im Westen unschädlich machen." Neumann betonte, er sei „bereit, alle diesbezüglichen Risiken auf meine Kappe zu nehmen"[53]. Der Vorschlag wurde nicht weiterverfolgt.

Daß das Ostbüro mit seinen Kurieren so wenig Glück hatte, konnte nicht nur mit der Cleverness der sowjetischen Behörden zu tun haben. Daß so viele Kuriere und vor allem Kontaktleute aufflogen, hatte seinen Grund auch in der Unerfahrenheit und im Leichtsinn der Angehörigen des Ostbüros. Geradezu haarsträubend sorglos verhielt sich beispielsweise der Ostbüro-Kurier Heinz Kühne. Kühne, so schildert der ehemalige Vertrauensmann Horst Kunze aus Zwickau, „hatte eine Anzahl von Anschriften anderer Genossen im Vogtland und Erzgebirge bei sich". Er trug ein amerikanisches Khakihemd, war mit amerikanischem Dosenproviant ausgerüstet und bewahrte den Zettel mit seinen Anlaufadressen in einer Rolle in der Brusttasche seines Hemdes auf[54]. Ohne Decknamen kamen Heinz Kühne und Karl-Heinz Schmiedel im April 1948 gemeinsam nach Mecklenburg und Vorpommern, um dort, wie sie erklärten, „alle zuverlässigen SPD-Mitglieder zu erfassen", wie dies in den anderen Län-

[51] AdsD, Ostbüro-Archiv, Bd. 0421, Bericht über die Verhaftung der Gruppe Rieke vom 25. 7. 1956.
[52] PATh, Bd. 1948, Brief von Neumann an Nau vom 25. 2. 1948.
[53] PATh, Bd. 1948, Brief von Neumann an Heine vom 18. 5. 1948.
[54] Kunze im Interview vom 20. 4. 1988, S. 8.

dern der Ostzone bereits geschehen sei. In Wismar bestimmte Kühne den Genossen Willi Visser zum „Geschäftsstellenleiter" der SPD. Er hatte, so berichtete der Vertrauensmann Henning von Kos (Deckname „Wilhelm Henning"), „eine Liste mit Namen vieler Personen bei sich, die er seiner Aussage nach in anderen Städten Mecklenburgs schon aufgesucht hatte. [. . .] Diese Liste wollte er vervollständigen." Kühne sagte „Henning" zu, einmal pro Monat Wismar anzulaufen, und bat ihn, „gelegentlich mal nach Berlin zu kommen und das Ostbüro aufzusuchen"[55].

Mit dem Kurier Karl-Heinz Schmiedel, der wie Karl Gundlach im August 1948 in der SBZ verhaftet wurde, könnte es den ostdeutschen Behörden gelungen sein, einen Agenten ins Ostbüro einzuschleusen. Obwohl Schmiedel laut zweier Veröffentlichungen in der SBZ und späteren DDR angeblich im April[56] bzw. im August 1948[57] die Grenze überschritten haben und wenig später verhaftet worden sein soll, hielt er sich – so ein Bericht, den das Ostbüro wahrscheinlich aus britischen Geheimdienstkreisen erhielt – angeblich schon im Dezember desselben Jahres wieder als freier Mann in Berlin auf[58]. In diesem Bericht heißt es weiter, Schmiedel habe mit einem Leipziger Agenten namens Böhme zusammengearbeitet, der wöchentlich in Berlin erschienen sei, um Material abzuholen. Aufgabe Schmiedels sei es gewesen, das Ostbüro, seinen vormaligen Arbeitgeber, zu überwachen.

Wie viele andere Vertrauensleute in der SBZ, machte auch Gerhard Petrowsky Schmiedel für seine Verhaftung verantwortlich[59]. Nach seiner Haftentlassung berichtete Petrowsky, Schmiedel – den er seit seinem Studium an der Pädagogischen Fachschule in Erfurt kannte – sei ihm schon damals als „politisch unzuverlässig" aufgefallen. Nachdem er ihn zufällig im Juli 1948 im Ostbüro getroffen habe, sei er zum Parteivorstand gegangen, um Erich Ollenhauer und Jakob Steffan über seinen Verdacht zu informieren. Diese versicherten ihm, Schmiedel werde überwacht. Am 20. November 1948 wurde Petrowsky dann in der SBZ verhaftet. Bei der Vernehmung hielten ihm die Beamten seinen Besuch im Ostbüro vor, von dem sie eigentlich nur durch Schmiedel etwas hatten wissen können: „Aus den weiteren Vernehmungen merkte ich, daß kein Belastungsmaterial – außer den Aussagen Schmiedels – gegen mich vorlag." Dann wurde er dem angeblichen Belastungszeugen gegenübergestellt: „Schmiedel war gut gekleidet, trug lange Haare, so daß der Eindruck erweckt werden sollte, er wäre frei." So erschien er auch vor dem Militärtribunal, um Petrowsky zu belasten.

---

[55] „Henning, Wilhelm", Haftbericht 1956, Abschrift, im Besitz des Verf.

[56] Vgl. Tägliche Rundschau vom 10. 4. 1949, S. 3.

[57] Vgl. Kühne, Kuriere, S. 18.

[58] AdsD, Ostbüro-Archiv, Bd. 0479, Bericht vom 28. 12. 1948.

[59] AdsD, Ostbüro-Archiv, Bd. 0421, Bericht vom 6. 3. 1956 (auch im PATh); das Diktatzeichen von Stephan Thomas belegt, für wie wichtig er diesen Bericht hielt; dort auch die folgende Darstellung der Ergebnisse.

Nachdem Petrowsky aus der Haft entlassen worden war, traf er Schmiedel im März 1956 im Rotkreuz-Heim in Grunewald wieder. Schmiedel bat ihn, nicht gegen ihn auszusagen, doch Petrowsky gab drei Tage später seine Schilderung der Ereignisse im Berliner Ostbüro zu Protokoll. Er schloß darin nicht aus, daß der ehemalige Ostbüro-Kurier mit dem sowjetischen Geheimdienst zusammengearbeitet habe. Herrschte, wie Petrowsky angab, tatsächlich schon im Juli 1948 ein gewisses Mißtrauen Schmiedel gegenüber, so wäre es nur logisch, wenn dieser sich kurz darauf in die SBZ abgesetzt und sich – wenn nicht schon früher – dort den Behörden zu Verfügung gestellt hätte.

Auch Henning von Kos legte man in der Haft wörtliche Zitate, die nur Schmiedel kennen konnte, und eine Liste der Sozialdemokraten vor, die die Kuriere Kühne und Schmiedel im April 1948 auf ihrer Fahrt nach Wismar bei sich hatten: „Als ich die mir vorgelesenen Namen hörte", so Henning von Kos, „wußte ich sofort, daß es die Namen der von Kühne und Schmiedel in Pommern und Mecklenburg aufgesuchten Vertrauensmänner waren. [. . .] Dagegen wußten sie [die sowjetischen Ermittler] von dem Verlauf der späteren Unterredungen, bei denen Schmiedel nicht mehr zugegen war, nichts. Es ist meine feste Überzeugung, daß er nicht nur von den Russen durch die bei ihnen üblichen Untersuchungsmethoden weich gemacht worden ist, sondern ihnen ganze Namenslisten ausgehändigt haben muß, weil ich es für ausgeschlossen halte, daß er die vielen Namen im Kopf gehabt hat. [. . .] Meiner Ansicht nach gehört er hinter Schloß und Riegel."[60] Dieser Meinung schlossen sich gewiß auch andere Ostbüro-Vertrauensleute an, die berichteten, Schmiedel habe – sei es aus Leichtsinn oder Methode – bei seinen Kurierfahrten in die SBZ die Namen derjenigen, die er besucht habe, auf einer „langen Liste" abgehakt[61]. Mag die Zahl von 130 Sozialdemokraten, die durch Schmiedels Unvorsichtigkeit oder Verrat verhaftet worden sind, auch zu hoch gegriffen sein[62], Tatsache ist, daß viele Genossen den Ostbüro-Kurier nach ihrer Haftentlassung belasteten[63]. Auch über den „schwunghaften Schwarzhandel", den Schmiedel bei seinen Reisen in der SBZ betrieben habe, beschwerten sich SPD-Vertrauensleute später[64].

Daß ihr Kurier Schmiedel tatsächlich aus freiem Willen für die sowjetischen Sicherheitsorgane tätig gewesen sein könnte, wollte auch die Leitung des SPD-Ostbüros nicht ausschließen. Auf einem Amnestievorschlag aus dem Jahr 1952 listete es neben 37 Vertrauensleuten aus der SBZ zwar die Kuriere Kühne, Gundlach und Busch auf[65]; Lohrenz befand sich zu diesem Zeitpunkt schon wieder in Freiheit. Doch auf die Freilassung Schmiedels schienen seine früheren Arbeitgeber keinen Wert mehr zu legen. Schmiedel selbst bezeichnete schon

---

[60] Ebenda.
[61] Vgl. Grabe, Vier Stationen, S. 61 f.
[62] Ebenda, S. 62.
[63] Vgl. Der Spiegel vom 21. 4. 1969, S. 8, Leserbrief von Faas.
[64] Ebenda, Leserbrief von Holk.
[65] PATh, Liste, ungeordnet.

zuvor im Neuen Deutschland den 28. August 1948 als den letzten Tag seiner Tätigkeit für das Ostbüro. Damals habe er sich zu einer Unterredung mit „Krakovkatschek" getroffen (gemeint war der Leiter der Berliner Ostbüro-Außenstelle, Stephan Grzeskoviak alias Thomas): „Am selben Tag entschloß ich mich endgültig, meine verbrecherische Tätigkeit im Auftrage der SPD aufzugeben."[66] Die Unterredung mit Thomas fand, wie dessen Terminkalender zeigt, tatsächlich statt.

Über den mutmaßlichen Überläufer Karl-Heinz Schmiedel führt allerdings nicht die einzige Spur vom Ostbüro zum sowjetischen Geheimdienst. Es erscheint möglich, daß die sowjetischen Sicherheitsbehörden, der NKWD, auch eine Agentin (zumindest eine Mitarbeiterin) auf sozialdemokratische Vertrauensleute in der SBZ angesetzt hatten und auf diesem Wege erst auf die Ostbüro-Kuriere aufmerksam wurden. So lernte der SPD-Vertrauensmann Willi Visser, den Heinz Kühne im April 1948 zum „Geschäftsstellenleiter" der Partei in Wismar bestimmt hatte, im Mai 1948 eine Katja (im Bericht für das Ostbüro irrtümlich Vera genannt) Glowka kennen; sie arbeitete als Journalistin beim Sowjetischen Nachrichtenbüro (SNB) und hatte zuvor auch zu Henning von Kos Kontakt aufgenommen. Wenig später zog Katja Glowka bei Visser ein. Kühne traf auf einer seiner Kurierfahrten sogar den sowjetischen Vorgesetzten der Glowka, Major Schuchmin, in der gemeinsamen Wohnung des Paares an. Henning von Kos verdächtigte 1956 nach seiner Haftentlassung die spätere Verlobte Vissers der Zusammenarbeit mit den sowjetischen Sicherheitsbehörden[67]. Noch 1948 verzogen Visser und Glowka nach Hannover. Visser blieb zunächst eineinhalb Jahre arbeitslos und konnte nur gelegentlich Artikel in einer Gewerkschaftszeitung veröffentlichen; diese Möglichkeit hatte ihm deren Chefredakteur Karl-Heinz Briam verschafft, der zuvor für das Ostbüro gearbeitet hatte. Katja Glowka wurde im Winter 1948 als Journalistin bei der SPD-Zeitung *Hannoversche Presse* angestellt und wahrscheinlich nicht, wie andere Quellen angeben, beim Parteivorstand; zumindest ihrem damaligen Verlobten Visser ist letzteres nicht bekannt[68]. Dennoch erhebt sich die Frage, ob die SPD eine Frau beschäftigte, die dazu beigetragen hatte, fast das gesamte Netz konspirativer Verbindungen der Partei in der SBZ aufzudecken.

Auch andere Vorgänge lassen darauf schließen, daß der sowjetische Geheimdienst schon 1948 über die Tätigkeit des Ostbüros genau im Bilde war. So verschwand im Sommer 1948 auf ungeklärte Art ein Ausweis aus dem Ostbüro, den der Kurier Karl Gundlach für eine Fahrt nach Dresden und Halle benutzen sollte. Wenige Stunden vor der Abreise mußte ein neuer Ausweis angefertigt werden. Als Gundlach schließlich im August 1948 verhaftet wurde, bekam er schon „in der ersten Minute" eine Kopie des verschwundenen Exemplars vorge-

---

[66] Neues Deutschland vom 5. 12. 1948, S. 2.
[67] AdsD, Ostbüro-Archiv, Bd. 0421, Bericht vom 6. 3. 1956 (auch in PATh).
[68] Brief von Visser an den Verf. vom 7. 8. 1990.

legt[69]. Gundlach, den Fritz Heine später als einen „unserer wichtigsten illegalen Mitarbeiter"[70] bezeichnete, war vor seiner Verhaftung in Sachsen-Anhalt unterwegs gewesen. Dort sollte er Informationen einholen, alte Genossen besuchen und der Frau des Ostbüro-Mitarbeiters Kurt Brenner, die dieser in der SBZ zurückgelassen hatte, etwas Geld überbringen. Doch Frau Brenner stand, wie Gundlach schnell herausfand, unter polizeilicher Bewachung. Er suchte darum ihren Vater auf, der sich „händeringend distanzierte"[71]. Auch andere Dinge machten Gundlachs Mission nicht eben leichter. Da „ein Auswendiglernen der Namen der zu Besuchenden, ihrer Adressen und der besonderen Merkmale unmöglich" erschien, führte der Kurier eine Namens- und Adressenliste mit sich. Es stellte sich aber heraus, daß die Angaben Brenners denkbar unvollständig waren. „Falsche Adressenangabe, ja sogar falsche Ortsbezeichnung führten zu unliebsamen Verwechslungen, die schwer korrigiert werden konnten." Zudem wurde nicht allein Brenners Frau von der Polizei observiert.

Für das Treffen mit einem Informanten namens Famula hatte das Ostbüro für Gundlach ein Schriftstück vorbereitet: „DIN-A-5-Format, Mitteilung einer Verlagsgesellschaft in Halle an Famula, unten in der linken Ecke ein voller Stempel des Ostbüros Hannover (!), von Brenner dahingesetzt." Famula erwies sich als ein Spitzel des NKWD. Als er Gundlach das versprochene Material aushändigte, gab er ein Zeichen, und der Kurier wurde verhaftet. Aufgrund der Namensliste, die er bei sich trug, wurden mindestens 14 weitere Genossen inhaftiert[72].

Wie Karl Gundlach, waren auch andere Kuriere des Ostbüros mit den Grundregeln konspirativer Arbeit nicht vertraut. Diese jungen, idealistischen Sozialdemokraten, die selbst überwiegend aus der SBZ stammten, liefen deshalb ein hohes Risiko, auf ihren Reisen aufzufallen oder verraten zu werden. Es verwundert nicht, daß es vor allem in der Anfangszeit des Ostbüros zu zahlreichen Verhaftungen kam, als die Ostbüro-Leute außer gutem Willen nicht sehr viel mitbrachten, was sie zu ihrer riskanten Arbeit qualifizierte. Da der sowjetische Geheimdienst auf die Kuriere und die illegal tätigen SPD-Zellen nun einmal aufmerksam geworden war, fiel es den Ostbüro-Mitarbeitern zudem seit dem Sommer 1948 immer schwerer, die Kontakte zu den Sozialdemokraten in der SBZ aufrechtzuerhalten oder gar neu aufzubauen. Geradezu absurd erscheint vor diesem Hintergrund der im Osten erhobene Vorwurf, die Ostbüro-Mitarbeiter hätten Schulungen durch die westlichen Geheimdienste erhalten. Die Arbeit der Kuriere war oft dilettantisch, gerade weil sie keinerlei Ausbildung bekommen hatten.

---

[69] AdsD, Ostbüro-Archiv, Bd. 0421, Haftbericht von Gundlach.
[70] AdsD, PV-Akten, Bd. 01908, Brief von Heine an Küster vom 20. 6. 1956.
[71] AdsD, Ostbüro-Archiv, Bd. 0421, Haftbericht Gundlachs.
[72] AdsD, Ostbüro-Archiv, Bd. 0421, Haftbericht von Polenz vom 22. 2. 1954.

Der – nicht mehr nur rhetorische – Kampf gegen die Sozialdemokraten begann in der SBZ spätestens mit einem Aufsatz von Sergej Iwanow, den die Berliner Zeitschrift „Neue Welt" im November 1946 veröffentlichte[73]. Iwanow bezeichnete darin die SPD als „bourgeoise ideologische Entwicklung der Sozialdemokratie", die von einer „Clique Schumacher und Co." geführt werde. Später nannte man die Sozialdemokraten dann gar wieder – wie in der Endphase der Weimarer Republik – den Zwilling der Faschisten[74].

Viele Sozialdemokraten wurden vor allem von der sowjetischen Besatzungsmacht inhaftiert. Genaue Angaben über ihre Zahl liegen allerdings bis heute nicht vor. Bereits im Sommer 1947, so behauptete der frühere Leipziger Polizeipräsident Günther Weber, habe es mehr als 20000 Verhaftungen ehemaliger Genossen gegeben. Diese Angabe bezeichnete der SED-Kreisvorstand in Leipzig jedoch in einer Entschließung vom August 1947 als Verleumdung[75]. Auch neuere Schätzungen gehen von geringeren Zahlen aus. So gab der Kurt-Schumacher-Kreis 1971 die Zahl inhaftierter Sozialdemokraten mit etwa 5000 an, von denen mehr als 400 in Zuchthäusern der SBZ oder in Zwangsarbeitslagern in der UdSSR umgekommen seien[76]. Der SPD-Anwalt Paul Paulsen bezifferte die Zahl der in der damaligen SBZ inhaftierten Genossen in einem Prozeß vor dem Bundesgerichtshof auf 10000 bis 12000, während der Anwalt der Gegenpartei von etwa 1000 verhafteten Ostbüro-Vertrauensleuten ausging[77]; letztere Zahl ist wohl als realistisch anzusehen. Sicher ist, daß der Kampf, in dessen Verlauf die Kommunisten die SED zur leninistischen Kaderpartei formten, eine Vielzahl von Opfern unter den Sozialdemokraten forderte; ein großer Teil dieser Menschen war zu keinem Zeitpunkt illegal tätig gewesen.

Das Ostbüro nahm bereits Ende 1947 an, die SED habe „geheime Listen" aufgestellt, „auf denen in drei Kategorien ehemalige Sozialdemokraten verzeichnet sind, die zu der SED in Opposition stehen"[78]. Auf diesen Listen würden die Sozialdemokraten unterteilt in:

„1. gefährliche Elemente, die sich nicht scheuen würden, direkt mit der SPD zusammenzuarbeiten, bzw. von denen man weiß, daß sie solche Verbindungen haben,

2. sogenannte Schumacher-Leute, die an der Neubildung einer SPD in der Ostzone interessiert sind und

3. alte Sozialdemokraten, die noch traditionsgebunden sind, aber nicht mehr die Gefährlichkeit aufweisen, wie die ersten beiden Kategorien".

---

[73] Vgl. Iwanow, Die sozialistischen Parteien, S. 27.
[74] Vgl. Lübbe, Kommunismus, S. 156 ff. (Zitatensammlung).
[75] FNA Berlin. ungeordnet, Abschrift der Entschließung vom 6. 8. 1947.
[76] Vgl. Fricke, Sozialdemokraten und Kommunisten, S. 912.
[77] Privatarchiv Hiller (PAH), ungeordnet, Prozeßunterlagen: Prozeß Hiller gegen SPD.
[78] AdsD, Ostbüro-Archiv, Bd. 0394, Ratschläge für die Ostzonenarbeit (Fragment).

Die SED habe diese Listen den zuständigen Kommandanturen der sowjetischen Besatzungsmacht übergeben, die die entsprechenden Verhaftungen vornehme. Trotzdem gab es zwischen Neumanns und Thomas' Amtsantritt im Sommer 1947 und Ende Februar 1948 lediglich drei Verhaftungen von V-Leuten in der SBZ[79].

Die SED zwang ihre eigenen Mitglieder immer stärker auf ihre orthodox-kommunistische Linie. So forderte das Zentralsekretariat der SED am 3. Juli 1948 in einer Entschließung zur jugoslawischen Frage, die Partei müsse „kompromißlos auf dem Boden des Marxismus-Leninismus" stehen[80]. Nur wenige Tage zuvor hatte Walter Ulbricht vor demselben Gremium das „Geständnis" des zu dieser Zeit schon seit eineinhalb Jahren inhaftierten Ostbüro-Kuriers Wilhelm Lohrenz verlesen, das gefährliche Aktivitäten der Sozialdemokraten in der SBZ enthüllen sollte. Und schon am 29. Juli 1948 beschloß der Parteivorstand dann Maßnahmen zur „organisatorische[n] Festigung der Partei und für ihre Säuberung von feindlichen und entarteten Elementen"[81]. Mit dem Kampf gegen den „Sozialdemokratismus" begann die erste großangelegte Säuberung innerhalb der SED.

Den nun einsetzenden Massenverhaftungen fielen – nachdem die meisten SPD-Kuriere enttarnt und so die illegalen Verbindungen bekannt geworden waren – natürlich in erster Linie die Vertrauensleute des Ostbüros zum Opfer. Schon im Mai 1948 gerieten zahlreiche Genossen in der Altmark – in Gardelegen, Haldensleben, Stendal und Burg – sowie in Jena in Haft. Im September desselben Jahres kam es zu Massenverhaftungen in Magdeburg; in Eisleben wurde Julius Bredenbeck, der erste Vorsitzende des Kulturbundes, festgenommen und in Halle eine Gruppe von Sozialdemokraten. Im Dezember verhaftete man neben dem Ehepaar Christiansen in Grimma eine Zwickauer Gruppe sowie Genossen in Frankfurt/Oder und in Dresden. Um den Hauptvorwurf der „Spionage" zu untermauern, warf man den Inhaftierten vor, sie hätten in Hannover oder Berlin den Gedankenaustausch mit Sozialdemokraten gepflegt oder mit Kurieren Kontakte unterhalten. Daß es sich bei diesem Spionagevorwurf um einen bloßen Vorwand der politisch motivierten SED-Justiz handelte, muß an dieser Stelle nicht besonders betont werden.

Die westdeutschen Sozialdemokraten betrachteten ihre illegal in der SBZ tätigen Parteifreunde als Widerstandskämpfer gegen ein Unrechtsregime. In diesem Zusammenhang erklärte Kurt Schumacher – sicherlich auch im Hinblick auf die Rolle des SPD-Ostbüros – Ende 1948: „Die deutsche Sozialdemokratie hat die meisten Risiken und Opfer in diesem Kampf um den deutschen Osten auf sich genommen. Für sie gibt es keine Politik des ‚Abschreibens', wie das niederträchtige Wort der Kommunisten heißt [...]. Für sie gibt es nur die Politik

---

[79] PATh, Bd. 1945/46/47, Brief von Neumann an den PV, o. Dat.
[80] Dokumente der SED, Bd. 2, S. 82.
[81] Ebenda, S. 83 ff.

der Solidarität."[82] Im Dezember des folgenden Jahres bekräftigte Schumacher diese Haltung: „Mit tiefer Verehrung verneigen wir uns vor den Opfern des roten Faschismus. Die Sozialdemokratie hat ein Prinzip [...]: Die Kameraden und Kameradinnen in der Sowjetischen Besatzungszone nicht im Stich zu lassen."

Nicht alle der in der SBZ inhaftierten Sozialdemokraten verdankten ihre Festnahme der Ungeschicklichkeit oder dem Verrat von Kurieren. So wurde Benno von Heynitz – dem man aufgrund seines Namens umstandslos unterstellte, er sei der Sohn eines Großgrundbesitzers – gefaßt, als er gerade Plakate klebte[83]. Und Helmut Hiller nahmen die Behörden fest, während er Flugblätter auslegte[84]. Dieter Riekes Verhaftung dagegen ist wiederum auf eine Nachlässigkeit des Ostbüros zurückzuführen. Rieke hatte einen Bericht über die Wirtschaftsentwicklung im Raum Magdeburg verfaßt, den der Sopade-Informationsdienst versehentlich unter seinem Namen veröffentlichte. Um den Schaden abzuwenden, schickte man sofort einen Kurier zu Rieke, um ihn zur Flucht zu veranlassen. Diese verzögerte sich jedoch aus privaten Gründen, und Rieke wurde am 4. Mai 1948 verhaftet[85]. Die Gruppe um Wolfgang Koch und Horst Kunze war hingegen verraten worden[86], ebenso wie die um Franklin Schultheiß, wo ein Gruppenmitglied die Mitarbeiter verriet[87].

Wann immer es möglich war, versuchte das SPD-Ostbüro die Vertrauensleute in der SBZ vor einer eventuell bevorstehenden Verhaftung zu warnen. Als Julius Bredenbeck das Ostbüro am 5. September 1948 besuchte, erfuhr er dort, Fritz Drescher und er seien im höchsten Maße gefährdet, sie könnten jeden Tag verhaftet werden. Dennoch wollte Bredenbeck unbedingt in die SBZ zurück, weil er dort noch eine finanzielle Angelegenheit zu regeln hatte. Als er schließlich den Bahnhof seiner Heimatstadt erreichte, teilten Freunde ihm mit, Drescher – den er eigentlich hatte warnen und mit in den Westen nehmen sollen – sei bereits abgeholt worden. Noch am gleichen Tag wurde auch Bredenbeck festgenommen[88].

Nicht selten verfügten die illegalen SPD-Gruppen auch über gute Beziehungen zu Sozialdemokraten, die bei der Volkspolizei arbeiteten. Ihre Tips halfen, Verhaftungen zumindest hinauszuzögern[89]. Wurde ein Genosse dann allerdings inhaftiert, konnte er den angewandten Verhörmethoden meist nicht lange standhalten und gab bald die Namen der „Mitverschwörer" preis, die daraufhin

---

[82] Scholz, Turmwächter, Bd. 1, S. 299; das folgende Zitat ebenda, S. 194.

[83] Brief von Heynitz an den Verf. vom 21. 2. 1989; vgl. auch Leipziger Volkszeitung vom 13. 9. 1947, S. 3.

[84] Hiller im Interview vom 5. 9. 1987, S. 3.

[85] AdsD, Rieke im Interview vom 29. 4. 1975, S. 28.

[86] Kunze im Interview vom 20. 4. 1988, S. 2 f.

[87] Schultheiß im Interview am 11. 4. 1988, S. 2.

[88] Bredenbeck im Interview vom 28. 11. 1987.

[89] Dies schilderte beispielsweise Majunke dem Verf. in einem Brief vom 11. 6. 1988.

ebenfalls in Haft gerieten. Auf diesem Wege verlor die illegale Ost-SPD nach einer Schätzung Hermann Kreutzers, der gemeinsam mit Vater und Ehefrau verhaftet wurde, etwa 70 Prozent ihrer Mitglieder[90].

Die Haftumstände

Vielen der verhafteten Sozialdemokraten wurden kriminelle Vergehen, wie „antisowjetische [. . .] Hetze, Diversion, Spionage, Wirtschaftsverbrechen etc." vorgeworfen[91]. Der eigentliche Grund der Inhaftierung war jedoch ihre politische Überzeugung, die in der SBZ als „Sozialdemokratismus" verfemt war. Diesen politisch motivierten Widerstand ließen die sowjetischen Militärbehörden und später die SED-Führung von einer Justiz verfolgen und aburteilen, die sich willfährig in den Dienst der Partei stellte; für die als Straftaten bewerteten Handlungen Oppositioneller wurde sogar ein eigenes Strafrecht geschaffen.

Wie andere politische Häftlinge in der SBZ wurden meist auch die festgenommenen Sozialdemokraten zunächst in Untersuchungsgefängnisse gesperrt; viele kamen nach Höhenschönhausen und nach Lichtenberg bei Berlin. Die Inhaftierten lebten dort unter katastrophalen Haftumständen: „Die Häftlinge [waren] Bedingungen ausgesetzt, die sie körperlich und seelisch zermürben sollten. Ohne Anwaltsbeistand, ohne Kontakt zu ihren Angehörigen, ohne Möglichkeit, ihre Verteidigung vorzubereiten [. . .]. Die Untersuchungsführer [wandten] sowohl psychischen als auch physischen Terror an. Gewalt gegen den ihnen recht- und hilflos ausgelieferten Gefangenen war durchaus nicht ungewöhnlich. Schlaf- und Essensentzug, tage- und nächtelange Dauerverhöre, Einzelhaft, Karzer und anderes mehr kennzeichneten die Methoden."[92] Während dieser „Untersuchungen" mußten die Gefangenen immer wieder mit Prügeln rechnen; man schloß sie nackt in Karzer oder in Zellen ein, die mit Wasser angefüllt waren[93]. Auch fingierte Geständnisse und Falschinformationen sollten sie mürbe machen. Kurt Grabe teilte man zu diesem Zweck mit, der Ostbüro-Kurier, dem er seine Inhaftierung verdanke, halte sich inzwischen als freier Mann in Moskau auf[94]. Festgenommenen SPD-Vertrauensleuten zeigte man Fotos der ebenfalls in Haft geratenen Kuriere[95], um ihnen deutlich zu machen, daß weiteres Leugnen ihrer „feindlichen" Aktivitäten sinnlos sei.

Viele Gefangene mußten unter den geschilderten Bedingungen mehr als ein Jahr lang in Untersuchungshaft zubringen. Prominente Vertrauensleute blieben selbst 15 Monate in U-Haft, wie der Erfurter Curt Eckhardt[96], oder gar

---

[90] Kreutzer im Interview vom 18. 2. 1988, S. 7.
[91] Finn, Die politischen Häftlinge, S. 142.
[92] Fricke, Politik und Justiz, S. 65 f.
[93] AdsD, Ostbüro-Archiv, Bd. 0421, Haftbericht von Petrowsky vom 6. 3. 1956.
[94] Vgl. Grabe, Vier Stationen, S. 62.
[95] Hiller im Interview vom 5. 9. 1978, S. 8.
[96] AdsD, PV-Akten, Bd. 01179, Brief von Curt Eckhardt an Willy Brandt vom 30. 10. 1963.

17 Monate, wie der Kurier Karl Gundlach[97]. Einer der Gefangenen, der sich während des Prozesses vor einem sowjetischen Militärtribunal über die Haftbedingungen beschwerte und erklärte, seine Geständnisse seien nur unter Drohungen und Schlägen zustande gekommen, wurde – nachdem das Verfahren abgebrochen worden war – sofort wieder ins Untersuchungsgefängnis verlegt. Die Folterungen begannen erneut, und ein halbes Jahr später fand vor dem sowjetischen Militärtribunal die zweite Verhandlung statt[98].

Politisch motivierte Prozesse wurden zwischen 1948 und 1950 fast ausschließlich vor den sowjetischen Militärtribunalen verhandelt, die der SED damit die „politische Schmutzarbeit" abnahmen[99]. Diese Verfahren wurden selbst „minimalen Ansprüchen" an gesetzeskonformes Vorgehen nicht gerecht und waren nicht mehr als prozessuale Farcen. Schließlich hatten sie auch einen völlig anderen Zweck: Sie sollten die Grundlage dafür schaffen, daß in der SBZ eine „Revolution von oben" durchgeführt werden konnte[100]. 43,1 Prozent der von den Militärtribunalen Verurteilten, die einer Partei angehörten, waren laut einer Stichprobenuntersuchung des Bundesministeriums für Gesamtdeutsche Aufgaben von 1960 SED-Mitglieder. Diese hohe Quote ist mit Sicherheit auf die alten Sozialdemokraten in der SED zurückzuführen, die nominell zwar Mitglied der Einheitspartei geworden waren, sich innerlich jedoch nach wie vor der SPD zugehörig fühlten[101].

Während des Zeitraums, in dem die Behörden in der SBZ Massenverhaftungen von Sozialdemokraten vornahmen und diese verurteilt wurden, war die Todesstrafe in der UdSSR gerade abgeschafft. Zwischen dem 26. Mai 1947 und dem 12. Januar 1950 galt sie deshalb auch vor den Sowjetischen Militärtribunalen in Deutschland nicht, was einigen hundert Genossen das Leben gerettet haben dürfte. Anstelle der Exekution trat eine Höchststrafe von 25 Jahren Zwangsarbeitslager, zu der die weitaus meisten Vertrauensleute des Ostbüros verurteilt wurden, unabhängig von der Zahl der Delikte, derer man sie beschuldigte. So wurden sieben der neun Mitglieder der Gruppe um Helmut Hiller zur Höchststrafe verurteilt und nur zwei zu zehn bzw. 15 Jahren Haft[102]. Auf 25 Jahre Lagerhaft entschieden die sowjetischen Richter auch bei fünf von sechs Personen der Gruppe Hermann Kreutzers; der sechste sollte 20 Jahre absitzen[103]. Als Strafgrund gab es im wesentlichen nur drei Beschuldigungen: „Verbrechen gegen die Menschlichkeit, Spionage, Sabotage"[104]. Dabei legten die Militärtribunale oft schon die Teilnahme an politischen Diskussionen oder den

---

[97] AdsD, Ostbüro-Archiv, Bd. 0421, Haftbericht von Gundlach, S. 16.
[98] Ebenda, Haftbericht von Petrowsky vom 6. 3. 1956.
[99] Fricke, Politik und Justiz, S. 55.
[100] Ders., Warten auf Gerechtigkeit, S. 73.
[101] Vgl. ders., Politik und Justiz, S. 117.
[102] Hiller im Interview vom 5. 9. 1987, S. 11.
[103] Kreutzer im Interview vom 18. 2. 1988, S. 7.
[104] Brundert, Es begann im Theater, S. 83.

Kontakt zu einer sozialdemokratischen Oppositionsgruppe als Spionage oder Sabotage aus.

Auch der Prozeßverlauf selbst genügte rechtsstaatlichen Maßstäben in keiner Weise. In den meisten Fällen wurden gemeinsam verhaftete Sozialdemokraten auch zusammen verurteilt; bei großen Gruppen wurde das Verfahren geteilt. Es gab jedoch auch Fälle, in denen Verhaftete auch dann in einem gemeinsamen Verfahren abgeurteilt wurden, wenn sogar der sowjetische Geheimdienst NKWD davon ausging, daß die Angeklagten nichts miteinander zu tun hatten[105]. Die Dauer der Verhandlungen hing vor allem davon ab, ob Prozesse öffentlichkeitswirksam in Szene gesetzt werden konnten, wie jene gegen Curt Eckhardt, Wehner und Lonitz im August 1949[106], oder nicht. Auf das Urteil wirkte sich die Prozeßdauer jedoch nicht aus; das Strafmaß stand von vornherein fest. Nur in wenigen Fällen gelang es dem Ostbüro, an die Ermittlungsakten der Polizei zu kommen. So im Fall Wend, Haufe, Linden „und Tatgenossen"[107], einem Verfahren, das nach außen hin als Wirtschaftsstrafsache getarnt war[108]. Genauso willkürlich wie sie prozessierten und urteilten, verfuhren die sowjetischen Sicherheitsbehörden auch hinsichtlich der Begnadigungen inhaftierter Sozialdemokraten. Ein Straferlaß hing nicht von der Dauer der Haft ab. Einige Genossen, die 1947/48 festgenommen worden waren, kamen erst Ende der fünfziger oder gar Anfang der sechziger Jahre wieder frei. Andere, die erst 1951 in Haft geraten und zu einer Freiheitsstrafe gleicher Dauer verurteilt worden waren, wurden dagegen im Januar 1954 amnestiert[109].

Bevor am 16. November 1950 die „Verordnung zur Übertragung der Geschäfte des Strafvollzugs auf das Ministerium des Innern der DDR" erlassen wurde, war die sowjetische Besatzungsmacht für den Strafvollzug zuständig[110]. Danach war er Sache der Länderjustizministerien. Die Behörden ließen in fast allen Gefängnissen Ostdeutschlands Sozialdemokraten und Ostbüro-Vertrauensleute unterbringen, inhaftierten sie aber bevorzugt in den Zuchthäusern Bautzen 1 und 2, Brandenburg und Halle 1 (Roter Ochse). In den Strafanstalten, in denen nun Tausende von Genossen einsaßen, bildeten sich bald starke sozialdemokratische Gruppen. Sie unterschieden sich von ihren Mithäftlingen zum Teil recht deutlich und diskutierten auch in der Haft weiter über Politik. Wer vorzeitig entlassen wurde, informierte die Berliner SPD oder das Ostbüro der Partei über die Namen seiner Mitgefangenen, ihre Haftumstände und die Anschriften ihrer Angehörigen.

---

[105] AdsD, Ostbüro-Archiv, Bd. 0421, Bericht von Petrowsky vom 6. 3. 1956.
[106] AdsD, PV-Akten, Bd. 01179, Brief von Eckhardt an Brandt vom 30. 10. 1963.
[107] Moraw, Die Parole, S. 236.
[108] Zu vorgeblichen Wirtschaftsprozessen vgl. Fricke, Politik und Justiz, S. 44 f.
[109] AdsD, Ostbüro-Archiv, Bd. 0421, Bericht von Dörr vom 24. 4. 1954.
[110] Vgl. Finn/Fricke, Politischer Strafvollzug, S. 20.

Der Parteivorstand der SPD in Hannover und später in Bonn versuchte über das Ostbüro, die sozialdemokratischen Häftlinge auf zwei Arten zu unterstützen. Zum einen versorgte er die Inhaftierten oder ihre Angehörigen mit Paketsendungen, zum anderen brachte er ihr Schicksal an die Öffentlichkeit, um so Druck auf die Machthaber im Osten Deutschlands auszuüben. Eine erste Liste der Verhafteten veröffentlichte der Sopade-Informationsdienst schon am 30. Oktober 1947, die Fortsetzung erschien am 1. November. Nachdem die Startschwierigkeiten überwunden waren – so gab anfangs zum Beispiel die Berliner SPD die Namen der Verhafteten nicht nach Hannover weiter[111] –, entwickelte sich die Häftlingsbetreuung zu einem der wichtigsten Aufgabenbereiche des Ostbüros.

Um die Paketsendungen kümmerten sich neben dem Ostbüro vor allem die Arbeiterwohlfahrt und der Suchdienst des Deutschen Roten Kreuzes in Hamburg. Die Hilfsorganisationen sorgten dafür, daß Menschen aus allen westdeutschen Ländern den Angehörigen politischer Gefangener in der SBZ und in der späteren DDR Päckchen zukommen lassen konnten; zum Teil stammten diese auch aus Care-Lieferungen. Die Verwandten der Inhaftierten (nur sie durften den Gefangenen Pakete schicken) packten die Sendungen aus dem Westen noch einmal um und gaben sie dann an die eigentlichen Empfänger weiter. Allerdings konnte auf diese Weise nicht allen politischen Häftlingen geholfen werden, da viele den SPD-Dienststellen nicht bekannt waren.

Andere Sozialdemokraten wurden nicht in Gefängnissen, sondern in Internierungslagern festgehalten, und viele waren in die UdSSR deportiert worden. Auch dies geschah willkürlich und hing nicht davon ab, ob die Betreffenden nun die führenden Köpfe illegaler Gruppen gewesen waren, die etwa härter hätten bestraft werden sollen[112]. Deportationen seien vielmehr „ohne System, aber voller Methode" angewandt worden, wie Hermann Kreutzer berichtet[113]. Diese Menschen in den sowjetischen Lagern erreichte kein Paket. Zu ihnen zählten unter anderem die Ostbüro-Kuriere Heinz Kühne, Karl Gundlach und Winfried Busch, die jahrelang in sowjetischen Lagern lebten, während Wilhelm Lohrenz und angeblich auch Karl-Heinz Schmiedel in Ostdeutschland inhaftiert waren. In die UdSSR deportierten die sowjetischen Behörden selbst Frauen, wie das Schicksal von Elfriede Matschk und Elfriede Schanze belegt[114].

---

[111] AdsD, Ostbüro-Archiv, Bd. 0420 A I, Notiz von „Alexander Fels" (Heinz Kühne) ca. Anfang 1948.
[112] Kunze im Interview vom 20. 4. 1988, S. 3.
[113] Kreutzer im Interview vom 18. 2. 1988, S. 8.
[114] AdsD, Ostbüro-Archiv, Bd. 0421, Haftberichte von Gundlach und Schanze.

Die Entlassung Sigi Neumanns

Im Sommer 1948 gab Sigi Neumann die Leitung des Ostbüros ab. Seit April dieses Jahres hatte er sich mit Rücktrittsabsichten getragen. So schrieb er nach einem hitzigen Disput mit Schatzmeister Alfred Nau an den Parteivorstand der SPD: „Die Verantwortung für das Ostbüro wächst mir ohnehin über den Kopf, und ich würde es freudig begrüßen, wenn ich diese Tatsachen [es ging um den Personalbestand] zum Anlaß nehmen könnte, um aus dem Büro aussteigen zu können."[115] Doch nicht die zweifellos vorhandenen Personalprobleme führten zum Rücktritt Sigi Neumanns, es war der schwelende Konflikt über den Stellenwert der beiden Hauptarbeitsgebiete des Ostbüros: Flüchtlingsbetreuung und Nachrichtensammlung. Kurze Zeit später sah Neumann sich dann einer Palastrevolution gegenüber, die von dem Dresdener Werner Uhlig angeführt wurde, den er selbst einige Monate zuvor als Sachbearbeiter für das Land Sachsen angeworben hatte. Seine Frau arbeitete in der Ostbüro-Kartei. Uhlig behauptete, er habe „Beweise" dafür, daß Neumann „Spionage treibt"[116]. Ein Kurierzettel mit dem Auftrag, ein Benzinlager bei Staßfurt ausfindig zu machen, sollte seinen Vorwurf belegen.

Uhlig versuchte, Mitarbeiter des Ostbüros und Mitglieder des Parteivorstandes zu einem gemeinsamen Vorgehen gegen Neumann zu bewegen, um die Hauptzielrichtung der Arbeit des Ostbüros mehr in Richtung auf den Aufbau einer illegalen Organisation im Osten und die Ausweitung der Flüchtlingsbetreuung zu lenken. Neumann erfuhr von Uhligs Verschwörung und bat seine loyalen Mitarbeiter, Uhligs Äußerungen schriftlich festzuhalten. Helmut Strunk unterzeichnete deshalb eine Erklärung, aus der hervorgeht, daß Uhlig die treibende Kraft bei dem Bemühen war, Neumann abzusetzen. Laut Strunk hatte Uhlig gesagt, auch er wolle nun nicht länger im Ostbüro bleiben, weil „es sonst so aussehen würde, als ob er nach dem führenden Posten strebe". Aber er habe „den Stein zum Rollen gebracht. Wann er fällt, weiß ich nicht. Ich arbeite nicht allein. Ich habe noch einige Genossen im Parteivorstand, die zurücktreten, wenn die Leitung des Ostbüros nicht fällt."[117]

Mitte Juli 1948 fand aufgrund der Vorwürfe Uhligs und der anschließenden Gegenmaßnahmen Neumanns eine Besprechung zwischen Egon Franke vom Parteivorstand, Sigi Neumann, Stephan Thomas, Werner Uhlig und Käthe Schmidt als Protokollantin statt. Sie endete mit dem endgültigen Zerwürfnis zwischen Uhlig und Neumann, dieser betrachtete Uhlig als beurlaubt[118]. Werner Uhlig und seine Frau verließen das Ostbüro. Damit hatte Neumann zunächst über seine internen Gegner gesiegt. Er geriet jedoch schnell wieder unter

---

[115] PATh, Bd. 1948, Brief von Neumann an den PV vom 1. 4. 1948, S. 4.
[116] Ebenda, Erklärung von Schmiedel vom 23. 7. 1948.
[117] Ebenda, Erklärung von Strunk vom 21. 7. 1948.
[118] Ebenda, Niederschrift der Besprechung vom 21. 7. 1948.

Beschuß, als es zu erneuten Verhaftungen in der SBZ kam und seine konspirativen Methoden der Informationsgewinnung viele Opfer forderten. So wurde er als Ostbüroleiter abgelöst.

Interessanterweise gehen die Zeitzeugen auf die Kritik an Neumanns Methoden der Informationsbeschaffung nicht ein; seine Ablösung wird von ihnen lediglich mit den Verhaftungen in der SBZ in Verbindung gebracht. Allein Fritz Heine, dem das Ostbüro und damit dessen Leiter damals direkt unterstellt war, spricht davon, es habe „wohl Schwierigkeiten mit Sigi Neumann" gegeben[119].

[119] Heine im Interview vom 8. 10. 1987, S. 2.

III. Neuanfang und Ausbau (1948–1952)

Als Stephan Thomas am 1. November 1948 offiziell die Leitung des Ostbüros in Hannover übernahm, stand er, bildlich gesprochen, vor einem Trümmerhaufen. Die meisten Kuriere waren verhaftet worden oder hatten den Dienst quittiert, und Hunderte von Vertrauensleuten der SPD saßen in ostdeutschen Gefängnissen. Kaum eine Verbindung in die SBZ war mehr intakt, und in Berlin lief die Arbeit der Ostbüro-Zweigstelle noch immer nicht wie geplant. Stephan Thomas, als dessen Stellvertreter zunächst Walter Ramm (alias „Petersen", „Ritter" und „Körner") und später Helmut Frenzel (alias „Bärwald") angesehen werden können, mußte mit seinen Mitarbeitern noch einmal bei Null beginnen. Sigi Neumann war inzwischen, wenn auch gegen heftigen Widerstand im Parteivorstand[1], zum Referatsleiter für Betriebs- und Gewerkschaftsfragen in der SPD-Zentrale berufen worden; er ging später zur Industriegewerkschaft Metall.

Um das Kurierwesen neu aufzubauen[2] und endlich einen funktionierenden Stützpunkt in Berlin einzurichten, schickte das Ostbüro Heinz Kühne in die Sektorenstadt. Mit den neu angeworbenen Kurieren Ponleithner und Eckl[3] sollte dieser den Versuch unternehmen, die Verbindungen in die SBZ wiederherzustellen, seien doch Anfang 1949, so Kühne später in sowjetischer Gefangenschaft, überhaupt nur noch zwei Kuriere für das Ostbüro tätig gewesen[4]. Damit meinte er sich und Horst Becker, der in den Personallisten als „z. b. V." geführt wurde. (Zusätzlich kamen Ponleithner und Eckl hinzu, die jedoch noch nicht einsatzbereit waren.) Welche Rolle Heinz Kühne in West-Berlin spielte, war auch dem sowjetischen Geheimdienst NKWD nicht verborgen geblieben. Mitarbeiter der Polizeisektion K 5 im sowjetischen Sektor Berlins – einer Einheit, aus der 1950 der Staatssicherheitsdienst der DDR entstand – erhielten deshalb den Auftrag, Kühne gefangenzunehmen und in den Osten zu verschleppen. Am 8. Februar 1949 waren sie erfolgreich. Während eines Abendbesuchs, den Kühne Bekannten im französischen Sektor abstattete, brachten die ebenfalls eingeladenen Geheimdienstleute den Ostbüro-Mann in ihre Gewalt. Seine Verhaftung warf die Ostzonen-Arbeit der SPD erneut zurück, wie der zuvor verhaftete SPD-Vertrauensmann Hermann Kreutzer berichtet: „Unter dem Druck

---

[1] AdsD, PV-Protokolle vom 29./30. 10. 1948 und vom 20. 11. 1948.
[2] PATh, Bd. 1948, Informationsbrief Nr. 3, „Geheim".
[3] Ebenda, Personalliste vom 2. 10. 1948.
[4] Vgl. Kühne, Kuriere, S. 11.

der NKWD-Vernehmungsmethoden gab Kühn [gemeint ist Kühne] eine Reihe von Namen mitteldeutscher Sozialdemokraten preis, die zur westdeutschen und Berliner SPD Verbindung unterhielten. [...] In allen Teilen der Zone wurden Sozialdemokraten verhaftet. U. a. wurden Verhaftungen in größerer Zahl vor allem [vorgenommen] in Stralsund, Rostock, Wismar, Schwerin, Cottbus, Guben, Fürstenwalde, Brandenburg, Potsdam, Ost-Berlin, Juterborg, Haldensleben, Mansfeld, Eisfeld, Halle, Weißenfels, Merseburg, Leipzig, Bautzen, Görlitz, Zittau, Chemnitz, Zwickau, Werdau, Crimitschau, Altenburg, Gera, Ronneburg, Sonneberg, Saalfeld, Rudolstadt, Jena, Weimar, Erfurt, Mühlhausen, Nordhausen, Gotha, Eisenach, Arnstadt und Meiningen."[5]

Erneut mußte die Arbeit des Ostbüros völlig umorganisiert werden[6]. Mitte 1949 verließen Ponleithner und Eckl das Büro, und der Kurier Horst Becker wurde mit dem Arbeitsbereich „Auskunftseinholung" betraut[7]. Statt neue geheime Verbindungen aufzubauen, legte man nun in Hannover eine nach Orten und Straßen geordnete Kartei der SBZ an, in der zuverlässige sozialdemokratische Flüchtlinge mit ihren ehemaligen Wohnorten im Osten verzeichnet wurden. Kamen nun Flüchtlinge in Hannover an, so wurden Sozialdemokraten, die früher im gleichen Ort oder sogar in der gleichen Straße gewohnt hatten, im Westen angeschrieben und um Auskunft ersucht.

Außerdem befragte man sozialdemokratische Besucher, die sich in Hannover oder Berlin meldeten, nach Personen, Vorgängen und Daten. Auf diese Weise wurde die umfangreiche Sach- und Personenkartei fortgeführt, deren Grundstein bereits Ende 1947 gelegt worden war. Dadurch konnte, wenn Flüchtlinge beim Ostbüro ankamen, ihr politisches Vorleben auch über die Personenkartei ermittelt werden.

Wie zuvor schon Karl-Heinz Schmiedel und Wilhelm Lohrenz, so wurde auch Heinz Kühne von den Behörden dazu gezwungen, eine Art Schuldeingeständnis zu verfassen, das dann als Buch und auszugsweise in Zeitungen veröffentlicht wurde. Diese unfreiwilligen Aufzeichnungen Kühnes enthalten zum einen Teil detaillierte Informationen über die Arbeitsweise des Ostbüros; zum anderen sind sie aber auch voller fehlerhafter Angaben. So stimmt beispielsweise die Biographie Günter Nelkes kaum noch mit dessen wirklichem Leben überein. Aus seiner österreichischen Frau wird eine Engländerin, und die politischen Motive, aufgrund derer Nelke 1933 emigrierte, werden ebensowenig erwähnt wie die Widerstandstätigkeit in Frankreich. Fehlinformationen enthält das Kühne-Buch auch in bezug auf die Zusammenarbeit des Ostbüros mit den alliierten Geheimdiensten. Entsprechende Vorwürfe aus der SBZ und späterer DDR sollten das Ostbüro in den zwei Jahrzehnten seines Bestehens fortwährend begleiten. Sie gehen fast alle auf das „Geständnis" Kühnes zurück.

---

[5] Vgl. Fricke, Politik und Justiz, S. 119.
[6] PATh, Bd. 1951, Manuskript von Stephan Thomas.
[7] PATh, Bd. 1949 II, Personalliste vom 31. 12. 1949.

Geheimdienstkontakte

Da das Ostbüro seinen Sitz in Hannover und damit in der britischen Besatzungszone hatte, unterhielt es regelmäßige Kontakte insbesondere zum britischen Geheimdienst. Leiter des Control Office for Germany and Austria war im August 1945 der britische Labour-Abgeordnete John Burns Hynd geworden. Da in London gerade die Labour-Party die Regierung stellte, schien einer engen Zusammenarbeit der Briten mit den deutschen Sozialdemokraten nichts entgegenzustehen. Tatsächlich aber war das beiderseitige Verhältnis schon bald sehr gespannt; Auseinandersetzungen gab es unter anderem um die britische Demontagepolitik. So erinnert sich Fritz Heine, damals Mitglied des SPD-Vorstandes, „die Briten ließen uns bei nicht wenigen Gelegenheiten durchaus wissen, daß sie die Besatzungsmacht waren und wir eben die Deutschen, die all das Unheil verursacht hatten"[8]. James P. May und William E. Paterson stellten fest, die Archive der Labour-Party ließen „eine bemerkenswerte Verschlechterung [des Verhältnisses] zwischen Labour und SPD in den Jahren 1945 bis 1949 erkennen. 1950 waren die Beziehungen auf solch einem Tiefstand angelangt, daß Schumacher den brüderlichen Labour-Delegierten ins Gesicht sagte, es könne durchaus sein Gutes haben, wenn die Labour-Party die nächsten Wahlen verlöre, da ihr dann mehr Zeit für die Schwesterpartei in Deutschland bliebe"[9].

Welchen Charakter hatten nun die Kontakte zwischen dem Ostbüro und dem britischen Geheimdienst? Zunächst einmal ging es um den Austausch von Informationen. So hielt Fritz Heine die britischen Behörden sowohl über links- und rechtsradikale Bewegungen in den Westzonen als auch über politische Vorgänge in der SBZ auf dem laufenden[10]. Hatten Informanten des Ostbüros mutmaßliche Spione aufgespürt, wurden die Briten auch darüber informiert[11]. Allerdings hielten diese das Material deutscher Quellen nicht unbedingt für authentisch. Selbst kritische Berichte eigener Armeeoffiziere über die Verhältnisse im Ostsektor Berlins und in der SBZ beachteten sie nicht. Labour-Außenminister Ernest Bevin äußerte sich in dieser Frage gegenüber seinem Vorgänger Anthony Eden: „I agree that the best plan is to take no notice of these letters."[12] So konnte sich die Londoner Labour-Regierung natürlich auch kein zutreffendes Bild der Situation im Osten Deutschlands machen. Dieses selbst geschaffene Informationsdefizit schienen britische Militärs ausgleichen zu wollen, wenn sie sich vor Ort an das Ostbüro wandten. Es erhielt von den Briten für seine Dien-

---

[8] Brief von Heine an den Verf. vom 23. 1. 1990, S. 4.
[9] Vgl. May/Paterson, Die Deutschlandkonzeption, S. 79 f.
[10] AdsD, PV-Akten, Bd. 0308.
[11] Ebenda, Brief von Heine an Abbotts vom 3. 5. 1949.
[12] Vgl. Thies, Britische Militärverwaltung, S. 42 f.; vgl. auch Overesch, Die Deutschen, Dokument Nr. 21, S. 176.

ste allerdings, soweit festellbar, kein Geld, auch wenn ostdeutsche Autoren, so Hans Teller und etliche Zeitungsjournalisten, dies kontinuierlich behaupteten[13].

Von kommunistischer Seite erhob man freilich nicht den Vorwurf, das Ostbüro arbeite mit allen alliierten Geheimdiensten zusammen. Vielmehr wurde unterstellt, die Zentrale in Hannover unterhalte Verbindungen zum britischen Field Security Service (FSS), die Berliner Filiale neben Kontakten zum FSS auch solche zum amerikanischen Counter Intelligence Corps (CIC). Das vorhandene Quellenmaterial belegt dies nicht. Richtig ist allerdings, daß sie SPD im britischen Exil punktuell mit dem amerikanischen Office of Strategic Services (OSS) zusammengearbeitet hatte[14]. Doch diese Verbindung spielte in der östlichen Propaganda seltsamerweise nie eine Rolle. Während der Jahre im britischen Exil verfaßten sozialdemokratische Autoren auch „Denkschriften", die sich zum Beispiel mit den „Arbeitsbedingungen und Produktionsziffern in Deutschland" beschäftigten. Die „Sozialdemokratische Union", ein Zusammenschluß deutscher, österreichischer und sudetendeutscher Sozialdemokraten im Exil, stellte in Großbritannien zudem eine Namensliste der Opfer des NS-Regimes zusammen, die bei der „späteren Verfolgung der Verantwortlichen" Verwendung finden sollte[15]. An diesen gegen die Nazis gerichteten Arbeiten der Exil-SPD orientierte sich das Ostbüro, als es gegen den Kommunismus stalinistischer Prägung zu Felde zog.

Erst relativ spät mußte sich Ostbüro-Chef Stephan Thomas von ostdeutscher Seite vorwerfen lassen, er stecke mit alliierten Geheimdiensten unter einer Decke. So wird er im Januar 1948 in dem Artikel „Geheimagenten um Dr. Schumacher" in der Ost-Berliner *Täglichen Rundschau* gar nicht genannt, und sein richtiger Name scheint zu diesem Zeitpunkt in der SBZ auch überhaupt noch nicht bekannt gewesen zu sein. Dafür erklärte man nahezu alle Mitglieder des SPD-Vorstandes und verschiedene sozialdemokratische Berliner Landespolitiker zu Geheimagenten. Erst einige Jahre später hielt man in Ostdeutschland auch Thomas vor, er arbeite seit 1943 mit dem britischen Geheimdienst zusammen[16]; 1957 sollte er gar „persönlich die Gelder der Amerikaner quittiert haben" – was gegenüber einem erfahrenen Geheimdienstler ein geradezu lächerlicher Vorwurf gewesen wäre.

Neue Nahrung erhielten diese Meldungen während der sogenannten Hekkenschützenaffäre in den sechziger Jahren. Einem überraschend aufgetauchten Schreiben des früheren französischen Botschafters André François-Poncet vom 12. August 1954 zufolge unterhielt Thomas angeblich schon seit 1932 Beziehungen zum polnischen Geheimdienst und seit 1943 zum britischen Secret Service[17].

---

[13] Vgl. Germer, Von Grotewohl zu Brandt, S. 72; Neues Deutschland vom 15. 4. 1951, S. 2.
[14] So schrieb Heine das 1000seitige Buch „Würdenträger im 3. Reich", eine Erarbeitung des Exilvorstandes der SPD, für den OSS ab. AdsD, Depositum Heine, Bd. 15.
[15] Vgl. Röder, Die deutschen sozialistischen Exilgruppen, S. 189.
[16] Vgl. Märkische Volksstimme vom 20. 3. 1957, S. 6.
[17] Vgl. Archiv der Gegenwart, Folge vom 18. 3. 1966, S. 12389.

Daraufhin bat Thomas den französischen Botschafter François Seydoux, diese Beschuldigung aufzuklären. Vier Wochen später antwortete Seydoux mit einem persönlich durch den Grafen d'au Male überbrachten Brief, in dem der Botschafter erklärte, „daß die Hinweise [...] uns sehr erstaunt haben. Die Untersuchungen, die in den französischen Archiven vorgenommen wurden, erlauben es nicht, die Spuren solcher Beschuldigungen wiederzufinden."[18]

Schon 1955 hatte der Parteivorstand der SPD aufgrund entsprechender Veröffentlichungen über die Geheimdienstkontakte des Ostbüros diskutiert. Im Laufe der Sitzung am 12. und 13. April erstattete Fritz Heine dazu ausführlichen Bericht. Die Briten seien, so Heine, dabei behilflich gewesen, die ersten Räume für das Ostbüro in Hannover zu beschaffen, und hätten darüber hinaus Flugtickets für Reisen von und nach Berlin besorgt. Auch habe man Informationen ausgetauscht; das Angebot der Briten, Mitarbeiter des Ostbüros zu schulen, habe die SPD jedoch abgelehnt. Als die britischen Geheimdienstleute dann versucht hätten, Ostbüro-Mitarbeiter Weisungen zu erteilen und sie für ihre Zwecke einzuspannen, sei es um das Jahr 1948 herum zu einer Auseinandersetzung gekommen, in deren Verlauf man „Schluß" gemacht habe[19]. Die Versuche der britischen Dienste, Mitarbeiter des Ostbüros für sich arbeiten zu lassen, belegen zahlreiche Dokumente des Büros aus den Jahren 1947/48. Sie machen zugleich deutlich, wie entschieden sich die Sozialdemokraten gegen diese Zumutungen zur Wehr setzten. Stephan Thomas äußerte sich später ebenfalls zur Weitergabe von Informationen an die Alliierten. Er erklärte, der Parteivorstand sei damit einverstanden gewesen, Material dann an Briten und Amerikaner weiterzuleiten, wenn „es für die Beurteilung der internationalen Lage relevant war"[20]. Im Gegenzug habe das Ostbüro Informationen der britischen und amerikanischen Geheimdienste erhalten.

Gelegentlich – vor allem zu Beginn seiner Tätigkeit – ermittelte das Ostbüro auch gemeinsam mit den Briten, die allerdings ein gewisses Mißtrauen den Deutschen gegenüber nicht verhehlen konnten. Sigi Neumann wandte sich darum im April 1948 in einem Brief mit den folgenden Worten an den britischen Geheimdienst: „Wir sind außerordentlich [daran] interessiert, diesen Fall restlos aufzuklären und in Zusammenarbeit mit Ihnen alles zu tun. Aber Voraussetzung einer erfolgreichen Aufklärung ist, daß wirklich eine Zusammenarbeit zwischen uns stattfindet, nicht aber, daß Sie uns von dem einen oder anderen Fakt eine Andeutung machen, aber anscheinend Hemmungen haben, uns das gesamte vorliegende Material zu unterbreiten."[21]

Daß die Zusammenarbeit zwischen britischem Secret Service und Ostbüro bei

---

[18] PATh, ungeordnet, Schreiben von Thomas an Seydoux vom 30. 4. 1966 und Schreiben von Seydoux an Thomas vom 24. 5. 1966.
[19] AdsD, PV-Protokolle 1955.
[20] PATh, ungeordnet, Thomas im Interview durch Katja Stieringer vom 14. 1. 1986, S. 3. Dies bestätigt auch Zachmann im Interview vom 24. 2. 1988, S. 6.
[21] PATh, Bd. E. O., Brief von Neumann vom 22. 4. 1948.

weitem nicht so problemlos verlief, wie das von östlicher Seite möglicherweise tatsächlich angenommen, zumindest aber behauptet wurde, machen verschiedene Begebenheiten klar. So luden die Briten beispielsweise die Kuriere Winfried Busch und Jochen Bargmann nach einer Fahrt durch die SBZ Anfang 1948 zu einem Gespräch nach Bad Nenndorf ein. Dort eingetroffen, wurden sie interniert und, zusammen mit SBZ-Flüchtlingen und einem SS-Sturmführer, vom britischen Geheimdienst regelrecht verhört. Erst auf Intervention des SPD-Parteivorstandes ließ man die beiden wieder frei[22]. Dem Leipziger Polizeirat Günther Weber erging es ähnlich. In britischer Uniform und in einem britischen Militärzug in den Westen geflüchtet, hielt die Besatzungmacht ihn zunächst in Bad Oeynhausen fest, um ihn dort zwei Wochen lang zu vernehmen[23]. Ob auch der angebliche Ostbüro-Mitarbeiter Helmut Patschke alias „Dieter Luft" von den Briten befragt wurde und ihnen, wie Kühne behauptet, „seine Kenntnisse aus der Wirtschaft der Ostzone preisgab"[24], scheint allerdings eher zweifelhaft. In den Personallisten des Ostbüros taucht jedenfalls weder ein Patschke noch ein Luft auf.

Mit Beginn der Berlin-Blockade durch die sowjetische Besatzungmacht wurden die Kontakte des Ostbüros zu den britischen Militärbehörden und Geheimdiensten enger. Um „besonders wichtige Kuriere und prominente Persönlichkeiten aus der russischen Zone"[25] in den Westen bringen zu können, war man im Ostbüro auf die Flugverbindungen von und nach Berlin angewiesen, die die Alliierten aufrechterhielten. Britische Militärzüge und später Flugzeuge transportierten auch die Päckchen nach Berlin, mit denen die SPD ihre in der SBZ inhaftierten Parteifreunde unterstützte; auch ein britischer Offizier half dabei, die Pakete aus dem Westen zu verteilen[26]. Mit den britischen Spionageaktivitäten aber wollte man im SPD-Ostbüro spätestens seit 1949 nichts mehr zu tun haben. Das belegt ein Briefwechsel des Ostbüros mit dem britischen Geheimdienst vom September 1949: Die Briten hatten einen ihrer Agenten namens Oskar Krause nach seiner Flucht aus der SBZ ins Ostbüro geschickt, damit er dort als Flüchtling betreut werden könne. Stephan Thomas schrieb empört an den britischen Geheimdienst, man bitte darum, „dafür zu sorgen, daß in Zukunft derartige Anweisungen unterbleiben"[27]. Vor einem ehemaligen Parteisekretär, der „für einen Parteifunktionär unzulässige Beziehungen zu alliierten Dienststellen gehabt" habe, warnte die Parteizentrale ihre nachgeordneten Stellen gar ausdrücklich. Der Genosse, von Mitte bis Ende 1947 in Hannover auch mit Flüchtlingsfragen befaßt, sei „mit der größten Reservation zu behandeln"[28].

Einen anderen Vorfall brachte das Ostbüro 1956 in der West-Berliner Beilage

---

[22] Busch im Interview vom 16. 2. 1988, S. 6 f.
[23] Weber im Interview vom 20. 11. 1988, S. 1.
[24] Vgl. Kühne, Kuriere, S. 20.
[25] PATh, Bd. 1948, Brief von Thomas an Ollenhauer vom 12. 4. 1948.
[26] PATh, Bd. E. O., Aktennotiz für Erich Ollenhauer vom 15. 7. 1948.
[27] PATh, Bd. 1949, Brief von Thomas vom 5. 9. 1949.
[28] AdsD, Ostbüro-Archiv, Bd. 0444, Rundschreiben (Manuskript) vom 16. 2. 1948.

seiner Zeitung *Der Flüchtling* an die Öffentlichkeit. Darin warf es dem zuvor entlassenen Mitarbeiter Weiss (alias „Rothe") vor, er habe mit ausländischen Nachrichtendiensten zusammengearbeitet, denen er „gegen Höchstpreise Informationen aus der Zone zutrug, die ihm in seiner Dienststelle zugänglich wurden"[29]. Weiss dementierte diese Behauptung nicht, was – neben der Tatsache, daß das Ostbüro aus eigener Veranlassung über den Fall berichtete – einer bezahlten Informantentätigkeit des Ostbüros für alliierte Dienste wohl eher widerspricht.

Ein ähnliches loses Verhältnis wie zu den britischen hatte das Ostbüro auch zu den amerikanischen Geheimdiensten. Nachdem die SPD wahrscheinlich schon 1947 vergeblich den Versuch unternommen hatte, die Amerikaner gerade in Berlin dafür zu gewinnen, ihre Sache zu unterstützen[30], entstanden die ersten wirklichen Kontakte erst später. So erwähnt Sigi Neumann in einer Aktennotiz vom Februar 1948 ein „unverbindliches Gespräch" mit einem eigens dazu aus Washington angereisten „Mr. X". Das Treffen war auf Initiative von Erich Brost zustande gekommen, der als Beauftragter des SPD-Parteivorstandes (in dieser Funktion der Vorgänger Willy Brandts) die Verbindung zu den alliierten Dienststellen in Berlin unterhielt[31]. Mr. X, schreibt Neumann, sei nach Westdeutschland gekommen, um sich zu erkundigen, „ob der Widerstand in der Ostzone aufrecht erhalten werden könne" und „ob vor allem die Sozialdemokratie in der Lage sei, einen entsprechenden Einfluß auf die Bevölkerung auszuüben". Neumann erläuterte dem amerikanischen Gast seine Ansichten, die völlig Schumachers Magnettheorie entsprachen[32]. So müsse es in den Westzonen einen wirtschaftlichen und sozialen Neubeginn „unter sozialistischer Führung" geben, der dann seine Sogwirkung auf die Bevölkerung der sowjetischen Zone schon nicht verfehlen würde. Zudem seien „die Triebkräfte des Widerstandes in der Ostzone so groß [...], daß wir uns keineswegs vor die Aufgabe gestellt sehen, einen Widerstand zu entfachen, sondern eher abzubremsen, und in die richtigen Kanäle zu leiten". Ferner wies Neumann auf die nur „primitiven und unzulänglichen Mittel" hin, über die das Ostbüro verfüge, und bat um „unbürokratische Hilfe" in Form eines Schwarzsenders. Ausdrücklich betonte er, daß „unser Kampf gegen die Russen nur auf unsere eigene Weise und mit unseren eigenen Methoden" geführt werden könne; „etwaige Versuche, unsere Freunde in der Ostzone für spezifisch alliierte Interessen (militärische Spionage etc.) einzusetzen", würden „von uns aus unter allen Umständen zurückgewiesen" werden. Nur auf dieser Basis könne es eine Zusammenarbeit mit den Amerikanern geben[33].

---

[29] Der Flüchtling, Beilage zur Ausgabe Nr. 8/1956.
[30] AdsD, PV-Protokolle, Bd. 1947, Monatskalender September 1947. Von einem „ablehnenden Bescheid der Amerikaner" spricht ein gewisser Herr Pfefferkorn, dessen Identität allerdings unklar ist.
[31] PATh, Bd. 1948, Aktennotiz von Neumann vom 4. 2. 1948.
[32] Vgl. Vorstand der SPD, Acht Jahre Kampf.
[33] PATh, Bd. 1948, Aktennotiz von Neumann vom 4. 2. 1948.

Entgegen den Schilderungen verhafteter Kuriere erhielt das Ostbüro auch von den Amerikanern kein Geld. Dies hatte Sigi Neumann schon 1948 in einem Rundschreiben betont[34]. Dennoch meldete das SED-Organ *Neues Deutschland* am 16. November 1949, das Berliner SPD-Ostbüro werde über ein Sonderkonto von amerikanischer Seite finanziell unterstützt. Im April 1951 berichtete die Zeitung dann, die Amerikaner gäben monatlich 35000 Mark für die Ostbüros von SPD und CDU aus, sowie 25000 Mark für das Ostbüro der FDP[35]. Ähnliches war selbst 25 Jahre später noch zu lesen. So behauptete die *New York Times* im Januar 1976, die SPD habe nach dem Krieg Gelder der CIA erhalten. Dies dementierte Stephan Thomas, was Fritz Heine in einem privaten Schreiben an den ehemaligen Schatzmeister der Partei, Alfred Nau, ausdrücklich begrüßte. Thomas hatte klargestellt, das Ostbüro habe zu keiner Zeit finanzielle Zuwendungen des amerikanischen Geheimdienstes empfangen[36].

Daß das Ostbüro materielle Hilfeleistungen der Amerikaner in Anspruch nahm, wie Kühne berichtet[37], scheint dagegen zuzutreffen. Er selbst reiste mit amerikanischen Lebensmittelkonserven durch die SBZ und erregte damit Ärger bei SPD-Vertrauensleuten. Nach eigenen Angaben erhielt Kühne von den Amerikanern eine „größere Menge Lebensmittel und Zigaretten [. . .], außerdem Seife, Zahnpasta, Rasierklingen usw."[38]. Solche Lieferungen von Waren des täglichen Bedarfs können jedoch für die ersten Nachkriegsjahre als durchaus üblich gelten, auch in der sowjetischen Zone. Dort stellte, so Gniffke, die Besatzungsmacht den ZK-Mitgliedern der KPD zum Beispiel wöchentlich ein als Pajok bezeichnetes Lebensmittelpaket bereit. Zudem belieferte die Sowjetische Militäradministration die Kantine der KPD mit Lebensmitteln, mit denen dann drei unterschiedliche Menüs für die Angestellten – gestaffelt nach Parteirang – zubereitet wurden[39].

Die Behauptungen, das Ostbüro unterstütze die Spionagetätigkeit alliierter Geheimdienste, waren allem Anschein nach nicht mehr als politische Zweckpropaganda stalinistischer Machart. Erhoben von SED und sowjetischen Besatzungsbehörden, sollten die Vorwürfe belegen, der Westen versuche, den entstehenden bzw. gerade geschaffenen sozialistischen Einheitsstaat mit allen nur denkbaren illegalen Mitteln zu unterwandern. Demselben Ziel diente auch der Prozeß gegen den Bundestagsabgeordneten und zweiten KPD-Vorsitzenden in den Westzonen, Kurt Müller, der unter einem Vorwand in den Osten gelockt und dort wegen angeblicher Spionage für Briten und Amerikaner verurteilt worden war[40]. Schon in der Londoner Zeit hatte der Parteivorstand der Exil-

---

[34] AdsD, Ostbüro-Archiv, Bd. 0337 II, Umlaufnotiz von Neumann vom 30. 6. 1948.
[35] Vgl. Neues Deutschland vom 15. 4. 1951, S. 2.
[36] AdsD, Depositum Heine, Bd. 36, Brief von Heine an Nau vom 18. 2. 1976.
[37] Vgl. Kühne, Kuriere, S. 40.
[38] Kunze im Interview vom 20. 4. 1988, S. 2.
[39] Vgl. Gniffke, Jahre, S. 59.
[40] Vgl. Lübbe, Kommunismus, S. 175.

SPD den Briten den Einsatz ihrer sozialdemokratischen Verbindungen nach Deutschland unter Bezug auf die „rein militärischen Interessen Großbritanniens" verweigert[41]. Warum sollten sich dieselben Politiker – wie die östliche Propaganda unterstellte – nun, in die Heimat zurückgekehrt, den Interessen der alliierten Geheimdienste untergeordnet haben? Durch das Ostbüro wußte die SPD, daß andere Organisationen (wie die um Margarete Buber-Neumann oder die Vereinigung politischer Ostflüchtlinge) sehr wohl von den Westmächten finanziell unterstützt wurden[42]. Ihr Ostbüro wollte die SPD jedoch keinesfalls in eine solche direkte Abhängigkeit von den Alliierten geraten lassen.

Wie bereits erwähnt, bedeutete dies nicht, daß man eine Zusammenarbeit mit den alliierten Geheimdiensten prinzipiell ablehnte. Während die Briten in Hannover Räume für das Ostbüro beschafften und in der Zeit der Berlin-Blockade Transportmöglichkeiten zur Verfügung stellten, halfen die Amerikaner mit Personenauskünften. Ihr Geheimdienst CIC überprüfte auf Wunsch des Ostbüros Sozialdemokraten, die unter dem Verdacht standen, Verbindungen zu den Machthabern in der SBZ und späteren DDR bzw. zu SED-Mitgliedern zu unterhalten. Einigen Fällen ging auch das US-Document Center nach[43]. Die Ergebnisse dieser Überprüfungen führten dazu, daß das Ostbüro wiederholt Parteiausschlußverfahren gegen unzuverlässige Genossen einleiten ließ[44]. Auf diesem Wege verlor auch Otto Heike, der in den vierziger Jahren für das Ostbüro gearbeitet hatte, dort seine Beschäftigung. Stephan Thomas hatte ihn mit Hilfe des Document Center überprüfen lassen, nachdem Berichte aufgetaucht waren, Heike sei an Kriegsverbrechen in Polen beteiligt gewesen[45]. Mit Verweis auf seine frühere NSDAP-Mitgliedschaft setzte Thomas ihn vor die Tür.

Auch leitete das Ostbüro Personen an die Alliierten weiter, an deren Mitarbeit es selbst nicht interessiert war; meist, weil es sich bei den Betreffenden nicht um überzeugte Sozialdemokraten handelte. So meldeten sich im März 1949 im Ostbüro „zwei Personen, die glaubwürdig vorgaben, im Panzerwerk Kirchmöser [...] tätig zu sein. [Eine] überbrachte das anliegende Material. [...] Da es sich bei den beiden Personen um Typen handelt, an denen wir als Partei nicht interessiert sind, und wir auch kein Interesse haben, einen weiteren Kontakt mit ihnen zu pflegen, stelle ich anheim, ggf. [...] den Kontakt selbst aufzunehmen"[46].

Das Ostbüro, das übrigens im untersuchten Zeitraum keine Beziehungen zu französischen Geheimdiensten unterhielt, war kein amerikanisches oder britisches Spionagebüro und arbeitete auch nicht im Auftrag alliierter Dienste. Dies

[41] Röder, Die deutschen sozialistischen Exilgruppen, S. 173.
[42] AdsD, Ostbüro-Archiv, Bd. 0479 g, Aktennotiz vom 7. 3. 1952.
[43] AdsD, PV-Protokolle, Bd. 1955, Stichwortmanuskript von Heine für die PV-Sitzung am 29./30. 4. 1955.
[44] PATh, Bd. E. O., Brief von Thomas an Ollenhauer vom 4. 11. 1948.
[45] Vgl. Freiheit, Halle, vom 5. 12. 1948, S. 4.
[46] PATh, Bd. E. O., Brief von Thomas vom 11. 3. 1949.

belegen unzweifelhaft die dargestellten Einzelheiten seines Verhältnisses zu den Geheimdiensten der Westmächte. Als pure Agitation ist darum die folgende Pressemitteilung der SED vom Ende August 1953 zu bewerten: „Das Ostbüro steht im Dienst der amerikanischen und englischen Spionagedienste. Ihre Agenten milde zu behandeln, hieße die gemeingefährlichen, volksverräterischen Pläne zu unterstützen."[47] Keine zwei Wochen später, am 11. September 1953, rief Robert Havemann dazu auf, „Schluß [zu machen] mit dem Ostbüro und allen USA-Agenten, die in der SPD und dem DGB ihr Unwesen treiben! Alle Kräfte für den gemeinsamen Kampf gegen den gemeinsamen Feind, gegen die wiedererstehende faschistische Bestie"[48]. Mit dieser kämpferischen Propagandaphrase zielte Havemann wohl mehr auf die eigene Bevölkerung als in den Westen.

Schwieriger Neubeginn

Statt den sozialdemokratischen Widerstand zu diskreditieren, verhalfen ihm, so Fricke, die in der SBZ immer wieder veröffentlichten „Enthüllungen" über die Arbeit des Ostbüros nur zu größerer Publizität[49]. So blieben „ziemlich feste Nester" der „Schumacheragenten" im Osten Deutschlands erhalten[50], und auch der gleich im Herbst 1948 einsetzende Widerstand ehemaliger SPD-Genossen „gegen die Umformung der SED in eine Partei neuen Typus" erlosch nicht so schnell. Er ging „in erster Linie von Mitgliedern und Funktionären aus [...], die bereits in der Zeit der Weimarer Republik der Sozialdemokratischen Partei angehört hatten"[51]. Es gab demnach immer noch Kräfte, auf die Stephan Thomas sich stützen konnte. Nicht ohne Grund erklärte Otto Grotewohl auf der ersten Parteikonferenz der SED im Januar 1949: „Wir dürfen die Tätigkeit der Agenten dieses Ostbüros der SPD weder unterschätzen noch durch falsche und gefährliche Weichherzigkeit unterstützen."[52]

Zwar konnte das Ostbüro auch weiterhin auf die Unterstützung von Teilen der ostdeutschen Bevölkerung rechnen, doch um erneute Massenverhaftungen zu verhindern, arbeitete man ab 1949 mit verbesserten konspirativen Mitteln. Das Ostbüro kapselte sich von den anderen Dienststellen des Parteivorstandes weitgehend ab und versuchte mit verschiedenen Maßnahmen zu verhindern, daß seine Mitarbeiter bei etwaigen zukünftigen Festnahmen erneut Interna preisgeben könnten. Indem die einzelnen Tätigkeitsbereiche viel stärker als bisher voneinander abgegrenzt wurden, sorgte man dafür, daß nur noch derjenige

---

[47] SED-Pressedienst vom 31. 8. 1953.
[48] Tägliche Rundschau vom 11. 9. 1953, S. 1.
[49] Vgl. Fricke, Selbstbehauptung und Widerstand, S. 34; vgl. auch Hiller im Interview vom 5. 9. 1987.
[50] Henschel, Hat unser Kurs den richtigen Kurs, S. 1135.
[51] Stern, Porträt, S. 114.
[52] Protokoll der 1. Parteikonferenz der SED, S. 361.

Einblick in ein bestimmtes Arbeitsgebiet erhielt, der auch dafür zuständig war. Einen Gesamtüberblick hatte nur noch der Leiter des Ostbüros selbst; wer nicht direkt mit sensiblen Dingen zu tun hatte, der konnte über sie kaum noch etwas in Erfahrung bringen.

Um die in der SBZ lebenden Angehörigen seiner Mitarbeiter zu schützen und um seine Angestellten selbst nicht länger unnötig zu gefährden, führte das Ostbüro nun Decknamen ein. Die Ostbüro-Leute tauchten auch nicht mehr in den hausinternen Telefonverzeichnissen des SPD-Parteivorstandes auf. Die Personalakten der Mitarbeiter, die zuvor wie die Unterlagen der anderen SPD-Angestellten in der Personalstelle lagen, bewahrte das Ostbüro jetzt in einem Panzerschrank selbst auf. Walter Ramm, Fritz Tinz oder Helmut Bärwald vom Ostbüro bearbeiteten sie in Zukunft selbst[53]. Nachdem auch die soziale Flüchtlingsbetreuung unter Günter Nelkes Leitung organisatorisch auf eigene Beine gestellt wurde, hatte sich das Ostbüro aus der Struktur des Parteivorstandes praktisch ausgeklinkt. Nur bei den Lohnsteuerkarten stießen alle Geheimhaltungsmaßnahmen an ihre natürliche Grenze; die mußten natürlich, wie bisher, ordentlich in der Lohnbuchhaltung des Parteivorstandes ausgefüllt und abgeheftet werden.

Unter Stephan Thomas und dessen Sekretär Helmut Bärwald, der als eine Art Geschäftsführer des Ostbüros de facto Thomas' Stellvertreter geworden war[54], begann mit Einführung der genannten Sicherheitsvorkehrungen eine neue Phase in der Arbeit des Ostbüros. Das Konzept, überall in der SBZ sozialdemokratische Widerstandsgruppen als Keimzellen einer künftigen SPD zu bilden, ließ man fallen. Statt dessen sollten sich die Genossen in der SBZ nur noch individuell an das Ostbüro wenden und seine Zweigstellen oder verabredete Treffpunkte persönlich aufsuchen, um Informationen weiterzugeben oder Material in Empfang zu nehmen. Der Kurierverkehr in der bisherigen Form wurde eingestellt. Schriftliche Unterlagen, so schärften die Ostbüro-Mitarbeiter ihren Vertrauensleuten in der SBZ ein, dürften sie niemals bei sich führen. In S-Bahn oder Reichsbahn sei die Gefahr, durchsucht zu werden, viel zu groß[55]. Vieles spricht dafür, daß man die Genossen auch im Umgang mit Geheimtinte und Spezialkameras unterwies[56].

Das Ostbüro versuchte nun, die Sozialdemokraten in der SBZ bzw. in der entstehenden DDR auch untereinander stärker abzuschotten. Verbindungen sollten sie nicht mehr untereinander, sondern allenfalls zu den Ostbüro-Stellen in Hannover oder Berlin unterhalten. Da ein Großteil der nicht zur Vereinigung mit der SED bereiten „Alt"-Sozialdemokraten geflohen war oder sich in Haft

---

[53] Bärwald im Interview vom 17. 5. 1988, S. 11.
[54] Brief von Pritzel an den Verf. vom 21. 12. 1987, S. 1.
[55] Zachmann im Interview vom 23. 2. 1988, S. 11.
[56] Vgl. Neues Deutschland vom 8. 12. 1956, S. 2. Die Verwendung von Geheimtinte bestätigt auch Zachmann im Interview vom 24. 2. 1988.

befand, war es nicht sonderlich schwierig, auf Einzelkontakte umzuschalten. Allerdings wurde es komplizierter und nahm erheblich mehr Zeit in Anspruch, Ost-Genossen vor bevorstehenden Verhaftungen zu warnen[57].

Die durch Massenverhaftungen und organisatorische Neuordnungen verursachte Krise der Jahre 1948/49 hatte das Ostbüro erstaunlich schnell überwunden und neue Strukturen zur Übermittlung von Informationen aus der SBZ in den Westen aufgebaut. Nun wurde seine Arbeitsweise der eines Nachrichtendienstes immer ähnlicher. Es führte V-Leute, beauftragte sie mit bestimmten Recherchen und verlor Informanten; nicht mehr, als jeder andere Geheimdienst in dieser Zeit auch. Dennoch berichtete die Presse in der DDR großaufgemacht über einzelne Verhaftungen, wie beispielsweise über die von Martin Bitterlich, Rudolf Seeger[58] und Richard Majunke[59].

Stephan Thomas spielte als Berichterstatter in Angelegenheiten der Ostzone für den Parteivorstand – und insbesondere für den SPD-Vorsitzenden Schumacher selbst – nun eine immer wichtigere Rolle. War sein Vorgänger Sigi Neumann 1947 neunundzwanzigmal und 1948 siebenmal mit Schumacher zusammengetroffen, so gab es zwischen dem Parteivorsitzenden und Thomas 1949 38 offizielle Begegnungen, ein Jahr darauf 28 und 1951 schließlich 72 offizielle Treffen[60]. Die vielen privaten oder kurzfristig vereinbarten Zusammenkünfte im Ostbüro oder in der Parteizentrale sind in diesen Zahlen gar nicht enthalten. Daran wird deutlich, daß Kurt Schumacher „einen großen Teil seiner Zeit im sogenannten Ostbüro der Partei" verbrachte. Stephan Thomas beschrieb sein Verhältnis zu ihm wie folgt: „Er half mir in jener Zeit sehr oft mit seinem tröstenden Zuspruch, wenn ich in meiner exponierten Position als Leiter des Ostbüros der sozialdemokratischen Partei in diffamierender Weise von den Kommunisten und manchmal auch aus Kreisen der SPD wegen unserer Aktionen gegen die Kommunisten angegriffen wurde."[61] Um die sozialdemokratische Deutschlandpolitik zwischen Partei und Bundestagsfraktion abzustimmen, trafen sich Schumacher und Thomas ab 1949 gemeinsam mit Herbert Wehner; Schumacher und Wehner waren sich 1947 und 1948 aufgrund von Auseinandersetzungen um die politische Vergangenheit Wehners aus dem Weg gegangen.

Ausbau der Berliner Zweigstelle

Problemkind des Ostbüros war und blieb die Zweigstelle in Berlin. Nicht nur, daß diese nicht klar von der dortigen Parteiorganisation getrennt war; sie

[57] AdsD, Ostbüro-Archiv, Bd. 0330 I, Bericht vom 13. 12. 1949.
[58] Vgl. Neues Deutschland vom 8. 12. 1956, S. 2.
[59] Vgl. Leipziger Volkszeitung vom 28. 7. 1957, S. 8.
[60] Vgl. Edinger, Kurt Schumacher, S. 445; folgendes Zitat S. 226.
[61] Thomas, Kurt Schumacher, S. 252.

beschäftigte außerdem einen Mitarbeiter, der nebenbei für den US-Geheimdienst zu arbeiten schien, und sie setzte sich immer wieder sträflich über die Grundregeln konspirativer Arbeit hinweg. So berichten die Gesprächspartner eines 1954 entlassenen Häftlings: „Im Büro in Berlin wurde, wie er feststellte, grob fahrlässig gearbeitet. So konnten sich zum Beispiel mehrere Besucher aus der Ostzone gegenseitig sehen, auch wenn sie aus dem gleichen Gebiet kamen und sich mit hoher Wahrscheinlichkeit vom Sehen kennen mußten. Durchschriften von Meldungen lagen offen im Büro herum, und er hatte verschiedentlich Gelegenheit in Dinge Einblick zu nehmen, die sicher der Diskretion bedurft hätten."[62] Da man jedoch von Berlin aus „verhältnismäßig einfach den Kontakt mit Vertrauensleuten des Ostbüros aufrecht erhalten" und neue „Verbindungen mit Vertrauensleuten in der Sowjetzone aufnehmen" konnte[63], mußte von Berlin aus „ein wesentlicher Teil der Untergrundarbeit" geleistet werden. Deshalb war schon im Mai 1948 in der Hammersteinstraße 14a die Berliner Zweigstelle eingerichtet worden. 300 Mark betrug die monatliche Miete, Möbel und andere Einrichtungsgegenstände hatte man auf dem schwarzen Markt besorgt.

In einem Brief an SPD-Schatzmeister Alfred Nau beschrieb Sigi Neumann die Arbeitsweise der Berliner Zweigstelle: „Wer nicht das Haus ohnehin kennt, wie etwa die wichtigsten Freunde aus der Ostzone, wird im allgemeinen von uns zu Willy Brandt bestellt und erst nach entsprechender Durchleuchtung in das neue Haus geleitet."[64] Schon einige Monate zuvor hatte Neumann dem Parteivorstand mitgeteilt, das Büro des Vertreters des Parteivorstandes in Berlin, Brost, werde „für ähnliche Zwecke, Hilfsdienste für das Ostbüro-Hannover, Besorgung von Travel-Orders, Auffangstelle für Informationen, gelegentlich Berliner Besuche von V-Leuten und als Ort für Konferenzen zwischen Hannover und V-Leuten benutzt"[65]. Allerdings werde auch das Büro Brost den Anforderungen konspirativer Arbeit in keiner Weise gerecht. Es sei nur ein Notbehelf, um nicht die Räume des Berliner SPD-Landesverbands in der Ziethenstraße nutzen zu müssen. Dieser zog später in die Müllerstraße um.

Die Kompetenzen waren in den Berliner Dienststellen der Partei bis Mitte 1949 noch nicht eindeutig voneinander abgegrenzt. So war es zum Beispiel Willy Brandt, Brosts Nachfolger als Beauftragter des Parteivorstandes in Berlin, der auf regelmäßig einberufenen internationalen Pressekonferenzen die Denkschriften des Ostbüros vorstellte. Diese Arbeiten setzten sich – zum Teil in Form wissenschaftlicher Analysen – umfassend und fundiert mit dem kommunistischen System im allgemeinen und besonders mit den Entwicklungen in der SBZ und der späteren DDR auseinander. Sie faßten jeweils eine Reihe von Artikeln im SOPADE-Informationsdienst zusammen und beschäftigten sich beispiels-

---

[62] AdsD, Bd. 0421, Haftbericht vom 9. 4. 1954.
[63] PATh, Bd. 1951, Manuskript von Thomas.
[64] PATh, Bd. 1948, Brief von Neumann an Nau vom 18. 5. 1948.
[65] Ebenda, Brief von Neumann an den PV o. Dat.

weise in ihren ersten drei Ausgaben nacheinander mit den Demontagen in der SBZ (März 1948), dem Parteiapparat der SED (Juni 1948) oder dem „Arbeitsrecht unter Hammer und Sichel" (Juli 1948). Eine weitere, angesichts des Beginns der atomaren Wettrüstung politisch hochinteressante Denkschrift befaßte sich 1949 mit dem Uranbergbau in der SBZ. Die Denkschrift „Zum Spitzel gezwungen" präsentierte Willy Brandt am 7. Februar 1949. Anschließend schrieb er dem Parteivorstand nach Hannover, man habe den Text, zum Teil auf Anforderung, an verschiedene Dienststellen der drei westlichen Militärregierungen sowie an die norwegische und dänische Militärmission übermittelt. Daneben habe der NWDR die Pressekonferenz übertragen und einen Kommentar dazu ausgestrahlt[66].

Da Willy Brandt dem Ostbüro gelegentlich seinen Dienstwagen samt Fahrer lieh – so übrigens auch dem Kurier Heinz Kühne am Abend seiner Entführung[67] –, bezeichnete ihn die ostdeutsche Presse immer wieder als führenden Mitarbeiter des Büros[68]. Tatsächlich aber gab es keinen organisatorischen Zusammenhang zwischen Brandts Büro und der Berliner Ostbüro-Zweigstelle. Dies galt auch für andere Einrichtungen der Berliner SPD, die dennoch einen Teil der Arbeit des Ostbüros übernahmen. Das Parteibüro in Wilmersdorf war auf diese Weise eine Anlaufstelle für Genossen aus dem Osten geworden; in der Städtischen Flüchtlingsbetreuungsstelle in der Meerscheidtstraße saß ein Ostbüro-Mitarbeiter, und zur Berliner Arbeiterwohlfahrt unterhielt Charlotte Heyden einen direkten Draht[69].

Aus den Räumen in der Hammersteinstraße mußte die Ostbüro-Filiale recht bald wieder ausziehen, denn die Gegenseite hatte bald erfahren, wo sich das Büro befand[70], wie die Journalistin Gerda Strunk, die aus der Zentrale in Hannover zeitweilig zur Berliner Zweigstelle versetzt worden war, berichtete: „Die [NKWD-Agenten] wußten genau, wo wir in Berlin unsere Villa hatten. Ich bin ja auch fast immer in der Stadt überwacht worden, das hat man bald gemerkt. Wir haben dann das Haus gewechselt, [und wir haben] Leute ausgewechselt."[71] Als der Kurier Karl Gundlach im August 1948 in der Untersuchungshaft vernommen wurde, schien der NKWD von der Villa in der Hammersteinstraße allerdings noch nichts zu wissen. Erst am 29. November bemerkte Gundlach, „daß der NKWD neuerdings Hammersteinstraße, [. . .] Böttcherstraße und die Namen Uhlig, Brenner, Neumann, Thomas und vieles mehr kannte"[72]. Die Anlaufstelle für Genossen aus der SBZ wurde daraufhin in die Melanchtonstraße verlegt, und auch das Ostbüro mußte umziehen. Gerda Strunk und

---

[66] PATh, Bd. 1948 II, Brief von Brandt o. Dat.
[67] Brief von Rosen i. A. Brandt vom 1. 12. 1988 an den Verf.
[68] Vgl. Neues Deutschland vom 1. 7. 1953, S. 2.
[69] B. im Interview vom 19. 11. 1988, S. 2.
[70] Referat von Kühne in Sonnenberg am 4. 2. 1988, Videomitschnitt im Besitz des Verf.
[71] Strunk im Interniew vom 26. 10. 1988, S. 6.
[72] AdsD, Ostbüro-Archiv, Bd. 0421, Haftbericht von Gundlach, o. Dat., S. 10.

Heinz Kühne hatten ein Haus in der Kranzallee 27 ausgewählt, welches das Ostbüro Ende 1948 bezog[73].

Die Leitung der Berliner Zweigstelle sollte Mitte 1948 der Genosse Reimer übernehmen, was aber kurze Zeit später „aus verschiedenen Gründen", wie es geheimnisvoll hieß, nicht mehr in Frage kam. Bevor Anfang Juni 1948 Walter Ramm – als „vorläufige Übergangslösung" – zum ersten Leiter des Berliner Ostbüro-Ablegers bestimmt wurde[74], leiteten Neumann oder Thomas die Zweigstelle selbst. Deren Existenz änderte im übrigen nichts daran, daß die Berliner SPD auch weiterhin Ostpolitik auf eigene Faust betrieb und das Ostbüro nicht informierte[75]. Viele Genossen aus der SBZ zahlten ihre Mitgliedsbeiträge bei Willi Weber ein, dem Ostbeauftragten der Berliner SPD; im Parteibüro lagerten aus Sicherheitsgründen auch die entsprechenden Belege[76]. Weber sollte später als zuständiger Landessekretär verhindern, daß die SPD Berlins kommunistisch unterwandert würde[77]. Ramm hingegen war Ansprechpartner verschiedener SPD-Gruppen in der Ostzone, wenn es um die illegale Parteiarbeit ging. So betreute er eine SPD-Gruppe in Zwickau[78].

Die geheimen Anlaufstellen des Ostbüros wurden jedesmal sehr schnell wieder von der anderen Seite entdeckt, was Stephan Thomas zu einer Änderung der Strategie bewog. Im Januar 1949 richtete das Ostbüro in der Charlottenburger Langobardenallee 14 eine „offene" Berliner Flüchtlingsbetreuungsstelle ein, deren Bürozeiten der RIAS bekanntgab[79]. Zwei hauptamtliche Mitarbeiter und ein Honorar-Sachbearbeiter kümmerten sich dort um Flüchtlinge und Informanten; ihnen gingen zwei Stenotypistinnen und ein Pförtner zur Hand. Nach Angaben Heines sprachen in der Langobardenallee monatlich zwei- bis dreihundert Besucher vor, die anschließend wieder zurück in die SBZ gingen[80].

Neben dieser offenen Kontaktstelle installierte das Berliner Ostbüro einen geheimen Stützpunkt, das sogenannte „oberhaus". Hier – 1952 war es eine mit drei hauptamtlichen Mitarbeitern besetzte Etagenwohnung – hatte man den illegalen Apparat des Büros untergebracht[81]. Darüber hinaus waren 48 Mitarbeiter ehrenamtlich für die Berliner Dependance tätig: Nach telefonischer Absprache trafen sie sich mit Besuchern aus dem Osten und nahmen Berichte entgegen, zahlten Fahrgelder aus und verteilten Informationsmaterial. Nur die

---

[73] Kühne, ebenda.

[74] PATh, Bd. 1948, vgl. kommentierte Mitarbeiterliste vom 26. 10. 1948; vgl. auch Bärwald im Interview vom 23. 11. 1988, S. 11.

[75] Brief von Heine an den Autor vom 23. 1. 1990, S. 2.

[76] Ehrke im Interview vom 19. 2. 1988, S. 3.

[77] Brief von Kreutzer an den Verf. vom 19. 3. 1988.

[78] Kunze im Interview vom 20. 4. 1988, S. 1.

[79] PATh, Bd. 1951 I, RIAS-Manuskript „Berlin spricht zur Zone" vom 8. 1. 1951.

[80] AdsD, PV-Protokolle, Bd. 1955, Stichwortmanuskript von Heine für die PV-Sitzung vom 29./30. 4. 1955.

[81] PATh, Bd. 1952, Streng vertraulicher Bericht über den Stand des Aufbaus in Berlin.

wenigsten Genossen aus Ost-Berlin und aus der DDR kannten die geheime Etagenwohnung. Man traf sich vielmehr in irgendwelchen Bahnhöfen, Straßen, Cafés oder Restaurants. Daneben standen zwei Ausweichräume in der Stadt zur Verfügung. Nun endlich war das Konzept verwirklicht worden, das Günther Weber schon 1947 vorgeschlagen hatte. Zusätzlich verfügte das Ostbüro über einen Anlaufpunkt im Auffanglager Marienfelde, die „reinigung", und ein „depot" genanntes Vorratslager in der Wasgenstraße am Schlachtensee.

Unter dem Tarnnamen „Aktionsgemeinschaft FDJ" unterhielt das Ostbüro eine weitere Zweigstelle in Berlin. Sie war nach den kommunistischen Weltjugendfestspielen in Ost-Berlin Ende 1951 gegründet worden. Ihr Name sollte den Eindruck vermitteln, es handele sich um eine Organisation abgespaltener FDJler. An diese Legende hielt sich Fritz Heine selbst gegenüber dem Parteivorstand, dem er berichtete, die Aktionsgemeinschaft bestehe aus einem „Kreis ehemaliger FDJler" und jüngeren, in Jugendarbeit versierten Genossen[82]. Tatsächlich hatten vier ehemalige FDJ-Funktionäre, die in den Westen gegangen waren, lediglich den Gründungsaufruf dieser Ostbüro-Zweigstelle unterzeichnet. Darin erklärten sie im November 1951 unter dem Titel „Unser Wollen, unser Weg, unser Ziel", in der DDR-Jugendarbeit müsse das „Recht auf freie politische Betätigung", das „Recht auf Arbeit und Erholung" und das „Recht auf Freude und Frohsinn" verwirklicht werden[83]. Prominentester Unterzeichner des Aufrufes war Günther Mielau, zuvor Mitglied des FDJ-Zentralrates. Mielau war jedoch ebensowenig wie seine Mitunterzeichner Rolf Nohara, Hildegard Simon oder Gerhard Winkler jemals bei der angeblichen „Aktionsgemeinschaft" beschäftigt.

Das Büro der „Aktionsgemeinschaft" trug intern den Decknamen „garage" und befand sich zunächst in einem Haus in der Berliner Sven-Hedin-Straße 44. Anfang 1953 zog die Zweigstelle dann in die Jebenstraße um, wo sie in einem Gebäude untergebracht wurde, das später auch der französische Geheimdienst nutzte. Drei festangestellte Mitarbeiter inklusive Hausmeister kümmerten sich 1952 um die „garage"; zwölf Ehrenamtliche waren für die „Abschirmung der ankommenden Besucher" verantwortlich[84]. Später verlegte man die Stelle in ein Bürohaus am Hohenzollerndamm 174–175, in dem zuvor das „oberhaus" Räume gemietet hatte. Dieses hatte sich inzwischen zu einer zweiten Befragungs- und Leitstelle für DDR-Informanten entwickelt.

Die „Aktionsgemeinschaft FDJ" gab seit 1952 zwei verschiedene Jugendzeitschriften heraus: die Monatsschrift *Freie Junge Welt* (FJW), die nach Art der FDJ-Zeitung *Junge Welt* gestaltet war und nur einen anderen Titel trug, und eine Tarnausgabe der *Jungen Welt*, die ihrem DDR-Vorbild in Format und Papierqualität vollkommen glich. Die Tarnausgabe übernahm auf der Titelseite

---

[82] Ebenda, Stichwortmanuskript von Heine.
[83] PATh, Bd. 1951. Von diesem Aufruf liegen drei verschiedene Versionen vor.
[84] PATh, Bd. 1952, Streng vertraulicher Bericht über den Stand des Aufbaus in Berlin.

Fotos und Schlagzeilen des DDR-Originals, um den Transport über die Sektorengrenze zu erleichtern. Im Fließtext und auf den Innenseiten schilderte sie dann aber die politischen Vorgänge unverblümt aus bundesdeutscher und sozialdemokratischer Sicht. Als Herausgeber der *Freien Jungen Welt* trat nach außen die „Aktionsgemeinschaft Freie Jugend Mitteldeutschland" auf. Doch natürlich waren die in der Zeitschrift genannten Öffnungszeiten des Redaktionsbüros diejenigen der „garage", als deren Sprachrohr sich das Blatt auch verstand. Die „Aktionsgemeinschaft" gab über ihr angebliches Redaktionsbüro auch kostenlos Bücher an interessierte Leser weiter, die in der *Freien Jungen Welt* angeboten wurden und sich mit den politischen Verhältnissen im Ostblock auseinandersetzten[85]. Zu Beginn des Jahres 1953 scheint die monatliche Auflage der *Freien Jungen Welt* – soweit aus den Tätigkeitsberichten des Ostbüros an den Parteivorstand zu entnehmen ist – bei 40 000 bis 60 000 Exemplaren gelegen zu haben. Im September 1953 wurden dann schon 150 000 Exemplare der Zeitschrift verteilt[86].

Beide Publikationen berichteten über eine Vielzahl von Themen, die möglichst jugendgerecht aufbereitet wurden. Neben politischen Berichten, die meist bei der Arbeit an Flugblättern oder Kleinschriften abgefallen waren, neben Artikeln über sozialdemokratische Programme und Anträge im Bundestag enthielten sie auch Berichte über amerikanische Weltraumprojekte, Martinszüge in Westfalen, Rockkonzerte und Modetips. Die letzte Seite war dem Sport auf beiden Seiten der innerdeutschen Grenze vorbehalten, und in einer Karikaturenserie wurde der SED-Genosse Georgij Wilhelm Erich Immerbereit von den Verhältnissen des real existierenden Sozialismus überlistet. Die „Aktionsgemeinschaft" wollte den Kontakt zu Jugendlichen in der DDR jedoch nicht allein über ihre Schriften herstellen, sie wollte mehr eigene Rundfunksendungen in Richtung Ost-Berlin und DDR produzieren.

Die Rundfunksendungen

Überlegungen, mittels eines eigenen Senders sozialdemokratisch orientierte Rundfunkprogramme in den Osten Deutschlands auszustrahlen, waren im Ostbüro schon recht früh angestellt worden. So betonte ein Genosse aus Freital in der SBZ Ende 1947, er sehe in einem solchen Sender „die einzige Möglichkeit, uns mit Informationen zu versorgen"[87]. Im Februar 1988 griff Sigi Neumann diese Anregung auf und bat in jenem bereits erwähnten Gespräch den Vertreter

---

[85] 1958 beispielsweise Leonhard, Wolfgang: Die Revolution entläßt ihre Kinder, Köln/Berlin 1955; Djilas, Milovan: Die neue Klasse. Eine Analyse des kommunistischen Systems, München 1958; Fryer, Peter: Ungarische Tragödie, Köln 1957.

[86] PATh, Monatsberichte über die Sonderaktionen in der Sowjetischen Besatzungszone, Juni bis September 1953.

[87] AdsD, Ostbüro-Archiv, Bd. 0394 c, Bericht B 333 o. Dat.

eines US-Geheimdienstes um „unbürokratische Hilfe" bei der Beschaffung eines Schwarzsenders[88]. Damit hätte man Informationen verbreiten können, ohne Freiheit und Leben der Kuriere oder der Verteiler von Schriftmaterial aufs Spiel setzen zu müssen. Nachdem die Verhandlungen sich eine Weile hingezogen hatten, verweigerten die Amerikaner schließlich ihre Zustimmung; sie hätten, so meinte später Fritz Heine, die CDU-geführte Bundesregierung nicht verärgern wollen. Das Ostbüro suchte eine Alternative – und fand sie beim RIAS.

Schon in der Schlußphase des Vereinigungsprozesses zwischen SPD und KPD unterstützte der RIAS die Sozialdemokraten in einem gewissen Maße. Im Juni 1946 schrieb der RIAS-Direktor William F. Heimlich daraufhin an Kurt Schumacher: „Mit Brandt und Ihrem Stabe zu arbeiten, ist wirklich eine Freude, da man immer den Mut im Kampfe gegen ‚Zwang und Terror' findet. Angestellte des RIAS, sogar solche, welche Angehörige anderer Parteien sind, loben die SPD der besseren Organisation und des größeren Mutes [wegen]."[89] Ende 1946 vereinbarten SPD und RIAS, daß der Sender die wichtigsten Partei-veranstaltungen übertragen und den Sozialdemokraten – zunächst alle 14 Tage eine Viertelstunde – Sendezeit einräumen werde. Außerdem sollte die SPD wöchentlich „dem US-Rundfunk [RIAS] einen Kommentar zu den politischen Ereignissen der Woche [übergeben]. Der Kommentar soll die Auffassungen des Parteivorstandes über die politische Entwicklung wiedergeben, wird aber vom US-Rundfunk als *eigener* Kommentar gesendet."[90]

Während der Berlin-Blockade konnte sich das Ostbüro dann erstmals direkt an die Hörer in der DDR wenden, und seitdem alle drei Wochen[91]. Hans Teller, der hier voll auf SED-Linie argumentiert, sieht darin den Beginn eines „Unter-grundkrieges" mit dem Ziel der „ideologischen Diversion"[92]. Natürlich war dem kommunistischen Regime die antikommunistische Rundfunkarbeit des Ostbüros ein Dorn im Auge. Am 3. November 1949 hielt Stephan Thomas seine erste Rede vor einem RIAS-Mikrophon, in der er unter anderem die zu diesem Zeit-punkt dreijährige Arbeit seiner Einrichtung schilderte. Doch Thomas nahm in seinen Rundfunkansprachen auch Stellung zu aktuellen Tagesproblemen – und er forderte die „Freunde und Genossen" im Osten auf, „von der Möglichkeit einer Beratung in Berlin Gebrauch zu machen"[93].

Am 30. September 1952 informierte Thomas die ostdeutsche Bevölkerung über den Dortmunder SPD-Parteitag, der nach Schumachers Tod stattfand. Er verlas ein – im Ostbüro entworfenes – Grußwort der ostdeutschen Genossen an den Parteitag und erklärte, Schumacher habe „unserer Tätigkeit in der Sowjet-zone eine neue Kraft gegeben und, wie uns unsere Freunde in der Zone versi-

---

[88] PATh, Bd. 1948, Aktennotiz von Neumann vom 4. 2. 1948.
[89] AdsD, Bestand Schumacher Q 23, Brief von Heimlich vom 18. 6. 1946.
[90] FNA, ungeordnet, Aktennotiz für Franz Neumann vom 6. 11. 1946; Hervorhebung des Verf.
[91] PATh, Bd. 1949 II, Entwürfe.
[92] Vgl. Teller, Der kalte Krieg, S. 162 f.
[93] PATh, Bd. April–Mai 1952, Manuskript.

cherten, unseren gemeinsamen Kampfwillen gestärkt. Das Ostbüro wird mit neuen Impulsen seine Arbeit in der Zone intensivieren. Zur Klarstellung der Arbeit des Ostbüros möchte ich jedoch folgendes erklären: Die Tätigkeit des SPD-Ostbüros wird von den politischen Richtlinien des Parteivorstandes bestimmt. [Sie] unterscheidet sich grundsätzlich von der sogenannten Widerstandtätigkeit verschiedener Vereinigungen und Gruppen, die in letzter Zeit auf Grund ihrer völlig anders gearteten Methoden und Ziele das kritische Interesse der Öffentlichkeit auf sich gelenkt haben. Oberster Grundsatz unserer Tätigkeit ist die Sicherheit des einzelnen Menschen und unserer Mitarbeiter in der Sowjetzone."[94]

Oft mit Manuskripten des Ostbüros, sprachen auch andere führende Sozialdemokraten im RIAS. Die meisten Reden wurden nach ihrer Ausstrahlung als Flugblatt in der DDR verteilt. So wandte sich unter dem Titel „Wir rufen unsere Brüder in der Zone!" im Februar 1953 Erich Ollenhauer an die Genossen auf der anderen Seite der innerdeutschen Grenze[95]. Von Herta Gotthelf, die das Frauenreferat im Parteivorstand leitete, wurden 1952 gleich mehrere Ansprachen im RIAS ausgestrahlt; die entsprechenden Ostbüro-Manuskripte beschäftigten sich zum Beispiel mit dem „Internationalen Frauentag" oder, wie im August 1952, mit der „Internationalen Frauenkonferenz"[96]. Am 18. August 1951 ging auch die Diskussion Kurt Schumachers mit DDR-Jugendlichen anläßlich der Weltjugendfestspiele über den Äther. Stephan Thomas hatte dazu eine kurze Einleitung verfaßt[97].

Der RIAS strahlte jedoch nicht nur regelmäßig SPD-Kommentare, Parteiveranstaltungen oder Reden aus; ab 1949 sendete die US-Anstalt, und in geringerem Umfang auch der Nordwestdeutsche Rundfunk (NWDR), sogenannte Spitzelmeldungen. Das heißt, sie machten öffentlich auf Personen in der SBZ/DDR aufmerksam, die drei voneinander unabhängige Berichterstatter zum Spitzel erklärt hatten. Zu diesen Berichterstattern zählten auch Mitarbeiter des Ostbüros. Als sich im Mai 1951 herausstellte, daß einer der vom Ostbüro gemeldeten angeblichen Spitzel, ein gewisser Schober, zu Unrecht beschuldigt worden war, stellte der RIAS seine Spitzelwarnsendungen vorübergehend ein. Mit einer diesbezüglichen „Stellungnahme" rechtfertigte Stephan Thomas am 12. Mai 1951 das eigene Engagement in Sachen Spitzelaufklärung[98]. Nach den bisher 1112 an den RIAS weitergegebenen Warnmeldungen habe es danach nur 52 Proteste gegeben, von denen wiederum 46 nicht gerechtfertigt gewesen seien. Und von den verbleibenden sechs träfen drei möglicherweise nicht zu. Die Informationen des Ostbüros seien damit wesentlich zuverlässiger als die von

---

[94] PATh, Bd. 1952, RIAS-Manuskript vom 30. 9. 1952.
[95] PATh, Bd. 1953 I, Manuskript vom Februar 1953.
[96] PATh, Bd. Januar–März 1952, Manuskripte.
[97] PATh, Bd. 1951.
[98] PATh, Bd. Oktober–Dezember 1951, Manuskript.

anderen Organisationen. Kurze Zeit später nahm der RIAS die Sendungen wieder auf. In vielen Fällen warnte er auch ostdeutsche Sozialdemokraten vor ihrer bevorstehenden Verhaftung. Dies bestätigt Richard Majunke, über dessen Verhaftung am 17. Dezember 1956 der RIAS bereits einen Tag später berichtete. So konnten sich wenigstens Majunkes Freunde noch rechtzeitig in den Westen absetzen[99].

Ab 1952 erhielt das Ostbüro Gelegenheit, auch Teile des Jugendprogrammes beim RIAS zu gestalten. Die angeblich eigenständige „Aktionsgemeinschaft FDJ" betreute pro Monat mindestens drei Sendungen; im Zusammenhang mit wichtigen Ereignissen konnten es auch mehr werden. So strahlte der RIAS-Jugendfunk im Juli 1953 allein acht Sendungen der „Aktionsgemeinschaft" aus. Politik und Unterhaltung wurden in diesen Programmen bunt gemischt, und auch die journalistischen Darstellungsformen wechselten. Einen großen Teil der politischen Berichte und Kommentare, die zwei feste Sprecher des Jugendfunks vortrugen, verfaßten Johanna von Loefen alias „Renate Hansen" sowie Rudolf Maerker, der als Journalist für das – seit 1951 in Bonn ansässige – Ostbüro tätig war und zuvor beim Amt für Information in Ost-Berlin gearbeitet hatte.

Ohne die Unterstützung durch den Rundfunk hätte die *Freie Junge Welt* auch ihre monatlichen Preisausschreiben nicht veranstalten können. Da die Zeitschrift in die DDR hineingeschmuggelt werden mußte und nirgends offen zu haben war, konnte kein Jugendlicher sicher sein, auch die nächste Ausgabe wieder zu erhalten. Wer sich nun unter einem Decknamen am Preisausschreiben beteiligt hatte und wissen wollte, ob er zu den Gewinnern zählte, der mußte den RIAS-Jugendfunk einschalten.

Unter der Schlagzeile „Wer dem RIAS sein Ohr leiht, wird zum Verbrecher"[100] revanchierte sich am 16. Januar 1954 das *Neue Deutschland* für die getarnten Ostbüro-Sendungen. Zwischen RIAS und Ostbüro gab es neben der programmbezogenen Zusammenarbeit auch Verbindungen auf anderer Ebene. Beispielsweise gab Hanns-Peter Hertz, damals Jugendredakteur beim RIAS (heute Chefredakteur von RIAS 1), Hörer-Informationen aus der DDR, etwa über die Kasernierte Volkspolizei, an das Ostbüro weiter, was ihm das Mißtrauen des amerikanischen Geheimdienstes einbrachte[101], zumal er Aufforderungen des amerikanischen Agenten beim RIAS, genannt „Plumsbacke", Berichte auch an den US-Nachrichtendienst weiterzugeben, ablehnte. Vom RIAS erhielt das Ostbüro auch Hörerbriefe aus der DDR, die sich beispielsweise mit der Wiederbewaffnung der Bundesrepublik befaßten[102], und Durchschriften von Berichten, die Besucher des RIAS beim Sender ablieferten[103].

---

[99] Majunke im Interview vom 1. 6. 1988, S. 5.

[100] Vgl. Neues Deutschland vom 16. 1. 1954, S. 4.

[101] Hertz im Interview vom 17. 2. 1988; es handelte sich dabei um den Leiter der CIC in Berlin, Severin F. Wallach alias „Plumsbacke".

[102] AdsD, Ostbüro-Archiv, Bd. 0479 I (Inhalt: k).

[103] AdsD, Ostbüro-Archiv, Bd. 0337 II, Bericht „Durch Boten" vom 12. 4. 1954.

Neben diesen Informationen stellte der RIAS dem Ostbüro auch die hauseigene Presse- und Funkauswertung zu Verfügung. Stephan Thomas hätte gerne eine eigene, Ostbüro-interne DDR-Funkauswertung eingerichtet, doch diesen Vorschlag hatte der Parteivorstand 1952 abgelehnt. Informationen flossen allerdings auch in umgekehrter Richtung: So leitete das Ostbüro im November 1949 seine Erkenntnisse über die operative Gruppe des Sowjetischen Geheimdienstes an den RIAS weiter[104]. Die Kontakte des Ostbüros zu anderen Sendern blieben dagegen auf eine sporadische Zusammenarbeit beschränkt, wenn man auch gerne mit dem NWDR zusammenarbeitete. Seit Beginn der fünfziger Jahre kommentierte Stephan Thomas daneben unregelmäßig für den Deutschen Dienst der BBC[105].

Hatten Rundfunkansprachen führender Sozialdemokraten mit Fragen der Ost- und Deutschlandpolitik zu tun, so wurden sie alle bis auf wenige Ausnahmen im Ostbüro der SPD konzipiert. Schon allein diese Tatsache belegt, welche Bedeutung die Sozialdemokraten dieser Einrichtung ihres Parteivorstandes zumaßen. Der letzte, der im untersuchten Zeitraum mit einem Manuskript des Ostbüros vor ein Rundfunkmikrophon trat, war am 29. April 1958 Erich Ollenhauer im Deutschen Dienst der BBC[106].

Die Schriftenreihen

Papiermangel und finanzielle Probleme verhinderten bis 1950, daß das Ostbüro politische Schriften im gewünschten Umfang produzieren und in den anderen Teil Deutschlands transportieren konnte. Dennoch sollte die dortige Bevölkerung ermutigt und darum „mit guten, nicht gerade optimistischen, aber bestimmt nicht pessimistischen Nachrichten" versorgt werden. Zumindest den „indifferenten Leuten in der Ostzone" sollten aus dem Westen Informationen über aktuelle politische Probleme zugesandt werden, wie sie zum Beispiel der SOPADE-Informationsdienst veröffentlichte[107]. In hohen Auflagen Schriften herzustellen und diese nach Ostdeutschland hineinzuschmuggeln, erwies sich jedoch als unmöglich. So konnten Ostbüro-Mitarbeiter im Jahre 1950 insgesamt nicht mehr als 670 000 Broschüren, Flugblätter und Klebezettel in die DDR bringen[108].

Als um die Jahreswende 1951/52 die Papierrationierung aufgehoben wurde, konnte das Ostbüro Flugblätter in wesentlich höheren Auflagen herstellen. Diese schickte es von nun an zumeist per Luftballon in den Osten; so wurden

[104] PATh, Bd. 1949 II, Brief an den RIAS vom 30. 11. 1949.
[105] AdsD, Ostbüro-Archiv, Bd. 0394, Ratschläge für Ostzonenarbeit (Fragment).
[106] PATh, Handakte Stephan Thomas, Bd. 1953/54.
[107] AdsD, Ostbüro-Archiv, Bd. 0394, Ratschläge für Ostzonenarbeit (Fragment).
[108] PATh, Bd. 1951, Manuskript von Stephan Thomas, S. 20.

zugleich diejenigen weniger gefährdet, die das Schriftenmaterial bislang hin-
übergebracht hatten. Zunächst von Berlin aus, ließ das Ostbüro gewöhnliche,
mit Leuchtgas gefüllte Luftballons in den Osten und in das Umland der Stadt
treiben, an denen man jeweils ein Flugblatt befestigt hatte[109]. Die dazu notwendigen Materialien lagerten in einer weiteren Ostbüro-Außenstelle, dem sogenannten „depot"[110].

SPD-eigene Druckereien oder sozialdemokratische Verleger wie Gustav
Schmidt-Küster in Hannover und Arno Scholz in Berlin, druckten die Schriften,
die das Ostbüro in die DDR befördern ließ. Sie wurden der Partei zu Vorzugs-
konditionen, zum Teil, beispielsweise von Scholz, sogar kostenlos überlassen.
Das Ostbüro hatte dann dafür zu sorgen, „daß die Broschüre zweckentspre-
chend verteilt wird"[111]. Schmidt-Küster schlug zudem vor, das Ostbüro solle
einen deutsch-deutschen „Postkrieg" beginnen. Ostdeutsche Propagandasen-
dungen, etwa anläßlich von Bundestags- und Landtagswahlen, FDJ-Treffen und
den Weltjugendfestspielen, sollte die Bundesrepublik, so die Idee des Verlegers,
mit massiven, von den USA finanzierten Gegensendungen beantworten. Dazu
Schmidt-Küster im Februar 1951: „Ich bin mir darüber klar, daß die Ostzone
Massensendungen solcher Art nicht zur Auslieferung bringen lassen würde.
Immerhin würde aber damit der Briefverkehr nach drüben sehr kompliziert,
und es könnte durchaus sein, daß die Regierung hier dann die Möglichkeit
hätte, als Retourkutsche die Sperre [gemeint ist der Stopp jeglicher Einfuhr
politischer Schriften aus der DDR] zu verhängen."[112] Weil damit allerdings
zugleich der Versand der Ostbüro-Propagandaschriften in die DDR gestoppt
worden wäre, verfolgte man den Vorschlag Schmidt-Küsters nicht weiter.

Neben dem regulären Postversand und dem Transport mit Luftballons hatte
das Ostbüro auch einen anderen Weg gefunden, um seine Flugblätter in die
DDR hineinzuschleusen, und zwar einen Weg, den illegale SPD-Gruppen in
ähnlicher Form bereits im Widerstand gegen das NS-Regime erfolgreich
erprobt hatten[113]. Pakete voller Flugschriften, die Mitarbeiter im Westen an den
Interzonenzügen befestigt hatten, montierten Genossen am entsprechenden
Zielbahnhof in der DDR einfach wieder ab[114]. Zu diesem Zweck verfügte das
Ostbüro über ein ganzes Arsenal von Uniformen für „Eisenbahner", die die
Pakete unauffällig anbrachten und entfernten. Bei „besonderen Kundgebungen"
schossen die Berliner Ostbüro-Angestellten hin und wieder auch Kleinstraketen
in den Ostsektor, die mit speziellen Flugblättern bestückt waren[115].

---

[109] Bärwald im Interview vom 17. 5. 1988, S. 9.

[110] Vgl. Berliner Zeitung vom 3. 11. 1959, S. 2.

[111] AdsD, PV-Akten, Bd. 01915, Brief von Nieke (Ostredaktion des Telegraf) vom 15. 12. 1952.

[112] AdsD, PV-Akten, Bd. 01898, Abschrift für Heine vom 27. 2. 1951.

[113] Brief von Heine an den Verf. vom 23. 1. 1990, S. 2.

[114] PATh, Monatsbericht über die Sonderaktionen in der Sowjetischen Besatzungszone, Oktober
1953, S. 17, Anlage 32.

[115] Vgl. Neuer Vorwärts vom 24. 8. 1951, S. 1.

Zu den Broschüren, die das Ostbüro auf solchen Wegen zu Beginn der fünfziger Jahre in die DDR schmuggelte, zählten auch zwei Versionen der Gewerkschaftszeitung *Tribüne*. Wie im Falle der *Jungen Welt*, war auch die erste Version der *Tribüne* ihrem DDR-Vorbild täuschend ähnlich. Sie brachte dieselben Schlagzeilen, druckte dieselben Fotos, und nur im Fließtext unterschied sie sich von der gleichnamigen DDR-Zeitung. Hier versteckten sich ihre eigentlichen politischen Aussagen. Version Nr. 2 nannte sich *Die kleine Tribüne*, angeblich herausgegeben von einer „Nur-Gewerkschaftlichen-Opposition" (NGO) im Freien Deutschen Gewerkschaftsbund (FDGB) der DDR. Natürlich handelte es sich auch hier, wie bei der „Aktionsgemeinschaft FDJ", um das Ostbüro. Im Februar 1951 erschien die Gewerkschaftszeitung der NGO zum ersten Mal; im ersten Jahr kam sie mit zehn, später jeweils zwölf Ausgaben pro Jahr heraus. Da die Zeitschriften sich besonders an die ostdeutschen Industriearbeiter richteten, veröffentlichten die Herausgeber bevorzugt Berichte über die Stimmung oder über Skandale in DDR-Betrieben. Beide Arten von Artikeln kamen in den ostdeutschen Betrieben sehr gut an[116]. Positiver Resonanz erfreuten sich auch die Rubrik Kurznachrichten und Berliner Anekdoten unter dem Titel „Paule erzählt".

Wie schon in der Zeit des Nationalsozialismus, waren jedoch die Flugblätter das wichtigste Agitationsmittel der Sozialdemokraten in der Illegalität. Grundsätzlich sind zwei Arten zu unterscheiden: Auf der einen Seite jene Flugschriften, die größere politische Themen (wie zum Beispiel die Deutschlandpolitik) zum Inhalt hatten, und auf der anderen Seite solche, die sich zu spezielleren Themen an einen kleineren Personenkreis wandten. Hier konnte es sich um die Bürger eines Ortes handeln, die Belegschaft eines Betriebes oder um bestimmte Berufsgruppen wie Ärzte, Handwerker oder Lebensmittelhändler. Diese Art von Flugblättern setzte das Ostbüro jedoch erst seit Anfang der fünfziger Jahre gezielt ein. Zu den erstgenannten Schriften sind auch die Reden Kurt Schumachers zu rechnen, die in der SBZ/DDR in Großauflagen verbreitet wurden, zusammen mit verschieden großen Klebezetteln, die neben Schumachers Konterfei jeweils eine politische Kernaussage enthielten. Die meisten dieser Flugblätter zierte ab 1952 das aus der Weimarer Republik übernommene Drei-Pfeile-Symbol des Reichsbanners als ein Zeichen für Einheit, Freiheit und Frieden.

In ihren Flugschriften setzten sich die Autoren des Ostbüros nur selten konstruktiv mit dem kommunistischen System auseinander. Meist waren ihre Aussagen eher plakativer Art; anders als die Denkschriften konnten sie keinen Anspruch auf wissenschaftliche Genauigkeit erheben. Marx-, Engels- und Lenin-Zitate sollten Stalin und seine Statthalter im anderen Teil Deutschlands widerlegen. So verschieden wie ihre jeweiligen Zielgruppen waren zu Beginn der fünfziger Jahre auch die Auflagen der Ostbüro-Flugblätter. Sie reichten von

---

[116] AdsD, Ostbüro-Archiv, Bd. 0394c, Bericht vom 30. 4. 1956.

200 Exemplaren für ein Flugblatt über die Verwaltungsreform in der DDR bis zu 300 000 Stück bei einem Aufruf gegen die Aufstellung der Nationalen Volksarmee im Mai 1952 („Sowjetische Nationalarmee? Ohne uns!").

Über die Entwicklungen in allen Lebensbereichen der DDR berichtete im Westen Deutschlands vor allem der SOPADE-Informationsdienst, den das Ostbüro beinahe täglich herausgab. Er wollte die Vorgänge im Osten so authentisch wie möglich schildern und wurde dort auch verteilt. Zusätzlich zum SOPADE-Informationsdienst veröffentlichte das Ostbüro in der Bundesrepublik die Schriftenreihe „Tatsachen und Berichte aus der Sowjetzone". Ihr Ziel war es, der Totalitarismus-Theorie entsprechend nachzuweisen, daß kommunistische und nationalsozialistische Gesellschaftspolitik letztlich identisch seien. Die Schriften erschienen darum unter Titeln wie „Von der HJ zur FDJ" (Nr. 1), „Von der DAF zum FDGB" (Nr. 2), „Von der NSDAP zur KP/SEP" (Nr. 3), „Von der Gestapo zum SSD" (Nr. 4), „Von der NS-Frauenschaft zum DFD" (Nr. 5), oder „Vom ProMi zum AFI" (Nr. 6). 1953 folgten dann „Vom Dritten Reich zur DDR", „Von der NSV zur Volkssolidarität" sowie „Von der NS-Wehrmacht zur sowjetischen Nationalen Volksarmee". Die Schriften wurden in der Regel mit einer Auflage von 14 000 bis 20 000 Exemplaren verbreitet.

Das Ostbüro gab auch weiterhin die bereits erwähnte Denkschriften-Reihe heraus, nun in größeren zeitlichen Abständen, dafür aber in höherer Stückzahl. Hier ging es beispielsweise um den Interzonenhandel (was Herbert Wehner mißfiel, der in einem Schreiben an Thomas davor warnte, in der Schrift genannte Firmen könnten Schwierigkeiten machen[117]) oder um die Jugendpolitik der DDR. Schumacher, Wehner, Heine und Thape berichteten über den Dessauer Schauprozeß[118], in einer weiteren Ausgabe schrieb Willy Brandt über den Titoismus. Andere Schriften enthielten Arbeiten zur Frauenpolitik in der DDR, Analysen über den „Staatsaufbau und die Wirtschaftsplanung in der UdSSR und der Sowjetzone Deutschlands" und einen Artikel über „Löhne, Arbeitsnormen und unbezahlte Arbeit in der Sowjetzone". Erneut befaßte sich die Schriftenreihe dann im Juni 1953 mit den Demontagen in der DDR, vergaß aber nicht, in der entsprechenden Pressemitteilung darauf hinzuweisen, hier handele es sich um eine „erweiterte und auf Grund neuen Informationsmaterials völlig überarbeitete neue Auflage einer bereits im Jahr 1950 herausgebrachten Berechnung"[119].

Möglich wurde diese erste größere Ausweitung der Propagandamittel auch durch die Unterstützung der Bundesregierung und durch Finanzzuweisungen des Bundesministeriums für Gesamtdeutsche Fragen (BMG). In der antikommunistischen Solidarität im Zuge der ersten Einheitslistenwahl in der DDR „kam es ungeachtet der unterschiedlichen Auffassungen über die Art des Vorgehens und die Organisation der Parteien zu einer Koordinierung des Vorgehens

---

[117] PATh, Bd. 1951, Brief von Wehner an Thomas vom 24. 5. 1951.
[118] Vgl. Thape, Von Rot, S. 275.
[119] PATh, Bd. 1953, Brief vom 16. 6. 1953.

gegen kommunistische Aktivitäten. [Die Bundesregierung] kündigte [...] eine
Verstärkung der Unterstützung des Befreiungswillens der Deutschen in der
DDR ‚mit allen ihr zur Verfügung stehenden Mitteln' an"[120]. Im September
1950 rief der Bundesminister für Gesamtdeutsche Fragen, Jakob Kaiser, Vertreter der demokratischen Parteien und Spitzenverbände zu einer Sitzung zusammen, um das weitere Vorgehen gegen die DDR und die kommunistischen Aktivitäten in Westdeutschland zu besprechen. Diese Sitzung kann als Beginn der
Unterstützung der Arbeit des Ostbüros der SPD durch die Bundesregierung
gewertet werden.

Umstrukturierung 1951

Am 1. Juni 1951 verlegte das Ostbüro seinen Sitz von Hannover nach Bonn[121].
In Hannover blieben nur wenige Angestellte, die sich – nun wieder in der
Odeonstraße, wo zuvor der Parteivorstand residiert hatte – um die weiterhin
durchzuführende Grenzarbeit kümmerten und Flüchtlinge betreuten. Die kleine
Gruppe leitete bis 1953 Hermann Witteborn, dem ein gewisser „Heinz Edel"[122]
(Deckname) folgte. Ebenfalls 1951 richtete das Ostbüro eigene Außenstellen in
den drei großen Flüchtlingslagern Gießen, Uelzen und Berlin-Marienfelde ein.
Stephan Thomas sprach in diesem Zusammenhang davon, das Ostbüro sei
„organisch" gewachsen, während seine Mitarbeiter gleichzeitig in der damaligen SBZ den Terrormaßnahmen des sowjetischen Geheimdienstes ausgeliefert
gewesen seien: „Die politische Untergrundarbeit und die Flüchtlingsbetreuung
konnten daher nicht innerhalb eines starken Rahmens erfolgen, sondern mußten sich den gegebenen und vorauszusehenden Möglichkeiten anpassen, um
eine optimale Wirkung zu erzielen."[123]
  Mit dem Umzug nach Bonn veränderten sich auch die Aufgaben des Ostbüros. Seine Mitarbeiter mußten nun in ihrer Arbeit die nationale und internationale Presse stärker berücksichtigen, die Denkschriften einem breiteren Publi-
kum vorstellen und neben den bisherigen auch Arbeiten partei- bzw. innenpoli-
tischer Art erledigen. Häufiger berieten sie Bundestagsabgeordnete, wenn es um
Fragen ging, die Ostdeutschland betrafen, auch Gesetzesentwürfe bereiteten sie
mit vor. Innerparteilich war das Ostbüro auf Anregung Stephan Thomas' schon
1949 der einzige Ansprechpartner in Flüchtlingsfragen geworden[124].
  Wegen der größeren Entfernung Bonns von der innerdeutschen Grenze und
des drohenden Verlusts des Überblicks über die Arbeit in den Zweigstellen und

---

[120] Richter, Die Geschichte der CDU, Bd. 2, S. 337.
[121] Nelke im Interview vom 28. 11. 1987, S. 3.
[122] Bärwald im Interview vom 17. 5. 1988.
[123] PATh, Bd. 1951, Manuskript von Thomas.
[124] AdsD, Ostbüro-Archiv, Bd. 0479 i, Merkblatt zur Behandlung von Ostflüchtlingen.

in der Illegalität wurde das Ostbüro nun streng hierarchisch gegliedert. Daneben richtete man einen ständigen Kurierverkehr zwischen Bonn und Berlin ein. Dennoch konnte der inzwischen nahezu 100 Mitarbeiter zählende Apparat nicht mehr zentral von Bonn aus geleitet werden. Die Ostbüro-Spitze suchte einen Leiter für die Berliner Zweigstelle. Anfang 1952 betraute sie den ehemaligen Kommunisten Alfred Weber alias „Peter Wandel" mit diesem Posten. „Wandel" war 1933 ins dänische Exil gegangen und hatte sich dort dem Widerstand angeschlossen. Nach Kriegsende arbeitete er für den dänischen Geheimdienst, der ihn dann – nachdem er 1951 in die Bundesrepublik zurückgekehrt war – dem Ostbüro empfohlen hatte[125]. Weshalb die Dänen „Wandel" vorschlugen, ist rätselhaft. So beschwerte sich ein Flüchtlingsbetreuer aus dem Berliner Ostbüro über die Pascha-Allüren, die der neue Chef an den Tag legte[126]. Und der ehemalige Ostbüro-Mitarbeiter B. erinnert sich: „Wandel war ein unmöglicher Mann, alkoholabhängig. Wer auf die Idee gekommen ist, diesen Mann dort einzusetzen, weiß ich nicht. Ein unsympathischer Typ, der eigentlich eine Gefahr bildete."[127]

„Wandel" blieb dennoch Leiter aller Ostbüro-Stellen in Berlin. Deren Zentrale – die „basis" – befand sich samt Verwaltung und Abrechnungsstelle bis 1957 in der Langobardenallee, von wo aus Eberhard Zachmann und „Wandel" einige V-Leute betreuten; in Einzelfällen unternahmen dies auch andere Angestellte, wie zum Beispiel Weiss alias „Rothe". Die meisten V-Leute führte jedoch das „oberhaus", das bis zum Herbst 1961 von Dr. Konstantin Pritzel alias „Dr. Reinhardt" geleitet wurde[128]. Hier führten Pritzel selbst sowie Charlotte Heyden alias „Schubert"[129] und Hubertus von Loefen alias „Lau" bzw. „Stein"[130] die Kontaktpersonen. Von Loefen war zuständig für den Bereich der DDR-Sicherheitsorgane, der Nationalen Volksarmee sowie Betriebskampfgruppen, Pritzel beschäftigte sich mit der Wirtschafts- und Gesundheitspolitik der DDR. Im Flüchtlingslager Marienfelde hatte das Berliner Ostbüro ebenfalls eine Außenstelle unter der Bezeichnung „reinigung" eingerichtet. Während Maletzki alias „Köhler" von dort aus auch mit einigen V-Leuten Verbindung hielt, befragte „Stahl" nur DDR-Flüchtlinge. Wichtige Flüchtlinge überstellte die „reinigung" dem „oberhaus" zur Vernehmung. Neben den genannten Stützpunkten, zu denen ja auch „garage" und „depot" gehörten, dürften der Berliner Außenstelle

---

[125] Bärwald im Interview vom 23. 11. 1988, S. 11; vgl. auch S. 4.
[126] AdsD, Fraktionsunterlagen, Korrespondenz Wehner, Bd. 731 A–E, Brief von Arno Stahl an Annelene von Caprivi vom 3. 7. 1958. Frau von Caprivi leitete diesen Brief an Wehner weiter.
[127] B. im Interview vom 19. 11. 1988, S. 6.
[128] Pritzel ging nach dem Bau der Mauer zum RIAS. Er verfaßte zahlreiche Artikel über die DDR und hier besonders über das Gesundheitswesen.
[129] Nach erheblichen Auseinandersetzungen mit dem SPD-Parteivorstand schied Frau Heyden 1972 aus dem Ostbüro aus. Sie starb 1981 in Berlin.
[130] Hubertus von Loefen und seine Frau Johanna, die in der „garage" beschäftigt war, wechselten 1962 zum Bundesnachrichtendienst (BND) nach Frankfurt.

des Ostbüros noch weitere versteckte Räume zur Verfügung gestanden haben; sie war damit die eigentliche Zentrale der konspirativen Aktionen des Ostbüros der SPD und entfaltete ein beträchtliches Eigenleben. Da „Wandel" jedoch Bonn gegenüber direkt verantwortlich war, blieb auch die Berliner Außenstelle in die gestraffte hierarchische Struktur der Organisation eingebunden.

Probleme hatte die Bonner Ostbüro-Spitze dagegen mit dem Berliner SPD-Landesverband. Zwar zeigte sich Thomas bestrebt, dort nicht in den Sumpf der innerparteilichen Streitigkeiten hineingezogen zu werden, und besprach daher regelmäßig politische Fragen mit den Landesvorstandsmitgliedern Theo Thiele und Kurt Mattick. Das änderte jedoch nichts daran, daß sich der Berliner Landesverband – zur Verärgerung des Ostbüros – weiterhin bemühte, eine eigenständige Ostzonen-Politik zu betreiben, Flüchtlinge zu betreuen und Nachrichten zu sammeln. So erklärte der Delegierte Schober auf dem Landesparteitag der Berliner SPD im Mai 1952, „die Zusammenarbeit des Ostbüros und der Berliner Parteiorganisation ist seit zwei Jahren die denkbar schlechteste". Die Schuld daran gab Schober dem SPD-Landesvorstand[131].

Leidlich gut funktionierte dagegen die Zusammenarbeit des Ostbüros mit den unteren Ebenen der Partei. Versuchte beispielsweise der Staatssicherheitsdienst (SSD) der DDR, SPD-Mitglieder zur Mitarbeit zu bewegen, so meldeten die betreffenden Genossen dies entweder direkt oder über den Berliner Landesverband dem Ostbüro[132]. Da die SPD in Ost-Berlin noch bestand und wenigstens Parteiarbeit betreiben durfte – von der Arbeit des Ost-Berliner Magistrats war sie allerdings ausgeschlossen –, konnten auch die Vorsitzenden der dortigen Parteigliederungen lose Kontakte zum Ostbüro unterhalten. Sowohl der West-Berliner Landesverband der Partei als auch die Ost-Berliner Kreissekretariate profitierten in den fünfziger Jahren ebenfalls von der Tätigkeit des Ostbüros. Mit besonderer Aufmerksamkeit beobachteten seine Mitarbeiter, ob die SED versuchte, Spitzel in die Partei einzuschleusen. Diese hatten es gerade in Ost-Berlin jedoch alles andere als leicht; zu konsequent hatte sich die verfolgte Partei nach außen abgeschottet[133].

Ein Vorfall, der sich Mitte 1953 ereignete, dürfte das gespannte Verhältnis zwischen Ostbüro und Berliner Landesverband nicht gerade günstig beeinflußt haben: Ein Ost-Berliner Parteifreund war mit 67 Briefumschlägen voll Propagandamaterial vom Ostbüro zu einem SPD-Vorstandsmitglied nach Wilhelmsruh unterwegs, von wo aus die Briefe nach und nach versandt werden sollten. Der Flugblatt-Bote, „V 342", fiel jedoch in der S-Bahn der Ost-Berliner Polizei in die Hände und wurde intensiven Verhören unterzogen. In der Folge geriet der Ost-Berliner SPD-Kreissekretär Holstein in den Verdacht, er arbeite mit dem Berliner Ostbüro zusammen. Zugleich verdächtigte das Ostbüro aufgrund

---

[131] AdsD, Ostbüro-Archiv, Bd. 0395 I, „Müller", Bericht vom SPD-Parteitag vom 26. 5. 1952, S. 15.
[132] AdsD, Ostbüro-Archiv, Bd. 0395 I, Bericht von Hundsdorfer vom 3. 8. 1953.
[133] Haase im Interview vom 17. 2. 1988, S. 4.

verschiedener Unstimmigkeiten seit diesem Vorfall Holstein der Spitzeltätigkeit für den Staatssicherheitsdienst[134]. Doch es gab auch Bereiche, in denen die Zusammenarbeit von SPD-Landesverband und Ostbüro harmonischer verlief. So beteiligten sich beide zu Beginn der fünfziger Jahre an den Aktionen der „West-Ost-Hilfe", eines Zusammenschlusses der Flüchtlingsorganisationen und des Berliner Senats. Diese Organisation verteilte sowohl Lebensmittel als auch Schriftmaterial im Rahmen von Großveranstaltungen an die Gäste aus dem Osten, wie zum Beispiel 1952 anläßlich der Deutschen Sport- und Gesundheitsausstellung, des Deutschen Katholikentages und der Grünen Woche[135].

Aufbau von Grenzsekretariaten

Schon im Jahre 1947 hatte Stephan Thomas an den Grenzen der britischen Zone zur SBZ sogenannte Grenzsekretariate einrichten lassen. Später nahmen entsprechende Stellen auch in der amerikanischen Besatzungszone die Arbeit auf. Auf diese Weise entstand „ein Netz von Vertrauensleuten von der Ostsee bis zum Bayerischen Wald [...], die wiederum Kontakt mit Vertrauensleuten jenseits der Grenze besaßen"[136]. Mit dem Aufbau dieser Sekretariate knüpfte das Ostbüro an vergleichbare Einrichtungen des SPD-Exilvorstandes aus der Zeit des Widerstandes gegen das NS-Regime an. So existierten von 1933 bis 1938 Grenzsekretariate der SPD jenseits der deutschen Grenzen in der Tschechoslowakei, der Schweiz, in Frankreich, Belgien, Dänemark und in den Niederlanden. Ihre Aufgabe war es, die Verbindung zwischen den illegal tätigen Genossen innerhalb Deutschlands und den Sozialdemokraten im Exil aufrechtzuerhalten. Hier kamen Flüchtlinge an, trafen Berichte ein, von hier aus wurde regimefeindliches politisches Propagandamaterial nach Deutschland hineingeschmuggelt[137]. In Erinnerung an diesen Teil des Kampfes gegen die Hitler-Diktatur hatte bereits am 30. September 1946 ein Parteimitglied aus der SBZ dem Ostbüro-Chef Rudi Dux vorgeschlagen, eine Verbindung zwischen zwei Grenzorten an der britisch-sowjetischen Zonengrenze zu schaffen: „Diese Verbindung müßte durch Einheimische durchgeführt werden. Ich würde dann das Material regelmäßig wöchentlich oder vierzehntägig dort abholen und auch hinbringen. [...] Dieser Grenzgänger ist am besten ein Bauer, der sein Land- und Wohngrundstück in verschiedenen Zonen hat. Dieser Mann darf dann aber nur für Material[schmuggel] benutzt werden, und nicht mit Schlepperdiensten belastet werden."[138] Nachdem das Ostbüro diese Anregung 1947 aufgenommen

---

[134] AdsD, Ostbüro-Archiv, Bd. 0395 I, V 342, Bericht vom 13. 9. 1954.
[135] AdsD, Ostbüro-Archiv, Bd. 0355, Protokoll der gemeinsamen Sitzung vom 7. 8. 1952.
[136] PATh, Bd. 1952, Manuskript von Stephan Thomas, S. 7.
[137] Brief von Heine an den Verf. vom 23. 1. 1990, S. 4.
[138] AdsD, Ostbüro-Archiv, Bd. 0394 c, Brief von H. vom 30. 9. 1946.

hatte, stieg die Zahl der ehrenamtlich tätigen Helfer auf der westdeutschen Seite der Grenze bis 1951 auf etwa 100 Personen an[139].

Meist bestanden die Grenzsekretariate der SPD aus einem der festangestellten Unterbezirkssekretäre der Partei sowie ehrenamtlichen Helfern[140]. Die Sekretariate waren in die Struktur des Ostbüros nicht fest integriert; ihre Mitarbeiter arbeiteten freiwillig für das Ostbüro und waren daher nicht weisungsgebunden. Sie halfen Flüchtlingen, sammelten Informationen, gingen auf die Suche nach unbewachten Stellen an der Zonengrenze, wo man Menschen und Material von einer Seite auf die andere schleusen konnte, und später machten sie auch geeignete Startplätze für Ballons, die Propagandamaterial transportierten, ausfindig. Ostdeutsche Genossen kamen oft zunächst mit den Grenzsekretariaten in Berührung, bevor sie Kontakt zum Ostbüro in Hannover und später Bonn aufnahmen[141]. Die Mitarbeiter der Grenzsekretariate meldeten dem Ostbüro außerdem diejenigen „Grenzübertrittsstellen, über die die Kommunisten ihre Agitatoren und Agenten sowie [ihr] Propagandamaterial nach Westdeutschland einschleusten"[142].

Als die DDR am 25. Mai 1952 damit begann, die innerdeutsche Grenze von östlicher Seite her zu befestigen, gewannen die Grenzsekretariate der SPD eine immer größere Bedeutung. Ihre Mitarbeiter reisten durch das gesamte Grenzgebiet, besuchten Betroffene, so Bauern, denen der Zutritt zu ihren im Osten gelegenen Feldern verwehrt wurde, fotografierten Grenzanlagen und schossen mit Miniraketen Flugblätter auf DDR-Gebiet[143]. Doch die Arbeit der Grenzsekretariate verlief nicht ohne Zwischenfälle. Größere Probleme hatte man von Beginn an mit dem bayerischen Grenzsekretär Arno Behrisch in Hof. Er verglich seine Position gerne mit der Willy Brandts in Berlin und trat im Ortsverein als „Beauftragter des Parteivorstandes" auf. Der Genosse Hans Bechert beschwerte sich über ihn und schrieb 1948 an den Parteivorsitzenden Schumacher, es sei „bekannt, daß der Genosse Behrisch oft den Mund etwas sehr voll nimmt und Behauptungen aufstellt, die nicht immer den Tatsachen entsprechen"[144]. Das wirkte sich jedoch nicht nachteilig auf seine politische Karriere aus, genausowenig wie ein Autodiebstahl und ein Delikt von Urkundenfälschung, mit dem man ihn zwei Jahre später in Verbindung brachte[145]. Mittlerweile Bundestagsabgeordneter seiner Partei, brachte Behrisch die SPD und das Ostbüro noch einmal in Schwierigkeiten, als er sich im März 1956 im „Neuen Deutschland" von der

---

[139] PATh, Bd. 1952, Manuskript von Stephan Thomas, S. 18.
[140] Bärwald im Interview vom 17. 5. 1988, S. 12.
[141] Schultheiß im Interview vom 11. 4. 1988, S. 1.
[142] PATh, Bd. 1952, Manuskript von Stephan Thomas, S. 7.
[143] AdsD, Ostbüro-Archiv, Bd. 0354 A I, Reiseberichte; vgl. dort insbesondere Foto Nr. 14 im Reisebericht vom 9.–11. 6. 1952.
[144] AdsD, Bestand Schumacher Q 21, Brief von Bechert an Schumacher vom 11. 11. 1948.
[145] Vgl. Der Spiegel, Jg. 1950, H. 12, S. 7.

SPD-Führung distanzierte[146]. Später trat er der Deutschen Friedens-Union bei und wurde aus der SPD ausgeschlossen.

Die Mitarbeiter der Grenzsekretariate registrierten auch Zwischenfälle an der innerdeutschen Grenze. In einem „Bericht über Sonderaktionen in der Sowjetischen Besatzungszone" vom Juni 1953 heißt es dazu: „Unsere Stützpunkte erstellten im Januar 45 Berichte über Vorgänge an der Zonengrenze. Nach der Auswertung in unserem Büro in Bonn werden sie amtlichen deutschen Stellen zugeleitet."[147] Weil keine Angestellte des Ostbüros, unterstanden die Genossen am „Eisernen Vorhang" auch keiner Weisungsbefugnis aus Hannover oder Bonn. Dies warf gelegentlich Probleme auf, zumal wenn die Grenzmitarbeiter selbst aktiv wurden: „Die Störaktionen sind auch im Juni fortgesetzt worden. [...] Die Ostseite der Zonengrenze reagierte sofort auf diese Aktionen, und eine gewisse Nervosität ist nach den Aktionen zu bemerken. Es sind Motorengeräusche von fahrenden Autos zu hören, Scheinwerfer leuchten auf und suchen die Grenze ab. Im Juni 1953 wurden 40 solcher Aktionen durchgeführt. Es wurden dabei 120 farbige Leuchtraketen abgeschossen." Auch hierüber wurde der SPD-Parteivorstand monatlich unterrichtet.

Ausbau der internationalen Kontakte

Unter Stephan Thomas unterhielt das Ostbüro seit 1948 gute Beziehungen zu skandinavischen Sozialdemokraten. Und spätestens ab 1951 sandte das Sekretariat Fritz Heines, dem das Ostbüro unterstellt war, dessen Berichte beinahe wöchentlich an führende dänische, norwegische und finnische Genossen[148]. Diese Berichte, die Heine als „vertraulich" klassifiziert hatte, enthielten bis zu 37 Einzelmeldungen aus allen Bereichen der DDR, die für die Empfänger möglicherweise von Interesse sein würden. So enthielt die Sendung vom 10. Dezember 1952 Informationen über die „5. Einheit" der Roten Armee, über die sowjetische Handelsvertretung in der DDR sowie Einzelheiten über militärische Einheiten auf der Insel Rügen und Kasernenbauten im Raum Torgelow/Eggesin. Zu den Adressaten zählten in Dänemark die Sozialdemokraten Oluf Carlsson (Parteisekretär seit 1945), in Norwegen Haakon Lie (Führer des norwegischen Widerstandes nach 1940), in Schweden Sven Aspling (Parteisekretär 1948–1962) und in Finnland Veikko Puskala (Verteidigungsminister 1952/53). Eilige politische oder militärische Berichte schickte Heines Büro sogar an eine Hamburger Deckadresse, von wo die Dänen sie per Kurier abholen ließen[149].

---

[146] Neues Deutschland vom 15. 3. 1956, S. 1.

[147] Monatsberichte über die Sonderaktionen in der Sowjetischen Besatzungszone, Juni 1953, S. 18; dort auch das folgende Zitat.

[148] AdsD, PV-Akten, Bd. 01939.

[149] AdsD, PV-Akten, Bd. 01940, Brief von Carlsson an Heine vom 19. 5. 1953.

Nachdem der zuvor beim dänischen Geheimdienst beschäftigte Alfred Weber alias „Peter Wandel" seinen Posten in der Berliner Zweigstelle des Ostbüros angetreten hatte, vertieften sich die Kontakte nach Skandinavien[150]. Im August 1952 beschlossen die dänischen Sozialdemokraten, eine Ausstellung über die illegale Tätigkeit der SPD in Ostdeutschland zu organisieren. Dafür besorgte Stephan Thomas Schriftenmaterial und veranlaßte „die leihweise Zusendung eines beschrifteten großen Ballons mit gefüllter Bombe und Zeitzünderuhr", womit ein Behälter voller Propagandamaterial gemeint war[151]. Gemeinsam mit den skandinavischen Genossen veranstaltete das Ostbüro auch Konferenzen, so etwa 1954 im norwegischen Dombas. Hier diskutierte man über Fragen der Spionageabwehr in Skandinavien, über die innere Lage der kommunistischen Parteien „und die sowjetischen Bestrebungen in den betreffenden Ländern"[152].

Mit Ostbüro-Material belieferte die SPD zu Beginn der fünfziger Jahre nicht nur skandinavische Parteifreunde, sondern auch – wenngleich in viel geringerem Umfang – Genossen in anderen Ländern. Berichte erhielt so der französische Sozialist und Widerstandskämpfer Robert Pontillon, der im Zweiten Weltkrieg auf der Seite der Roten Armee gekämpft hatte[153]. Österreichischen Sozialdemokraten stellte das Ostbüro dagegen keine Originalberichte, sondern lediglich eine abgeschriebene Liste der „Bezüge der obersten Kommandostellen der Sowjetzone" zur Verfügung. Diese Aufstellung enthielt die entsprechenden Angaben zu allen Büroleitern, Staatssekretären und Ministern der DDR; die österreichischen Genossen wollten sie in der Auseinandersetzung mit den heimischen Kommunisten verwenden[154].

Kontakte knüpfte das Ostbüro auch nach Jugoslawien, obwohl die Sozialdemokraten zu Tito ein zwiespältiges Verhältnis hatten, galt dieser doch bis zu seinem Bruch mit Stalin als Verwirklicher des Musterbeispiels einer kommunistischen Volksdemokratie. Je mehr sich nun allerdings das jugoslawisch-sowjetische Verhältnis verschlechterte, desto interessierter beobachtete man im Westen die Vorgänge im Staate Titos. Kommunisten, die mit seinem System sympathisierten, gründeten zu Ostern 1951 in der Bundesrepublik als Konkurrenz zur orthodoxen, moskautreuen KPD die Unabhängige Arbeiterpartei (UAP). Diese wurde zwar von Jugoslawien unterstützt, wuchs jedoch über die Größe einer Sekte nie hinaus. Das Ostbüro hatte in der Unabhängigen Arbeiterpartei einen Spitzel plaziert.

Am 20. November 1951 traf sich Stephan Thomas mit zwei Angehörigen der jugoslawischen Handelsmission zu einem Gespräch, in dessen Verlauf die Gastgeber – die das Treffen auch angeregt hatten – ihm ein Aktionsbündnis vorschlugen. In einer Aktennotiz („streng vertraulich") hielt Thomas fest: „Nach

---

[150] Bärwald im Gespräch mit dem Verf. vom 8. 2. 1989.
[151] PATh, Bd. 1952, Aktennotiz von Thomas für Heine vom 19. 8. 1952.
[152] PATh, Bd. 1954 I, Aktennotiz von Thomas vom 31. 3. 1954.
[153] AdsD, PV-Akten, Bd. 01939, Brief von Heine an Pontillon vom 11. 12. 1952.
[154] AdsD, PV-Akten, Bd. 01940, Brief mit Anlagen von Heine an Pittermann vom 20. 5. 1953.

Auffassung der Jugoslawen würde es aus der gemeinsamen Kampfposition gegen den sowjetischen Imperialismus im beiderseitigen Interesse liegen, die Beziehungen so eng wie möglich zu gestalten. Djilas hat geäußert, daß er volles Verständnis für die Politik der SPD habe und besonders die Linie Schumachers in außenpolitischen Fragen für richtig halte." Die angestrebte enge Zusammenarbeit sollte nach den Vorstellungen des einen der beiden Gesprächspartner von Thomas folgende Gestalt annehmen: „Nach jugoslawischer Auffassung sollte zwischen der SPD und der KPJ ein Austausch von Informationen erfolgen. Dabei sollte man unterscheiden zwischen vertraulichen Informationen über die Abwehr und den Kampf gegen sowjetische Zersetzungsversuche in Deutschland und Presseinformationen zur Veröffentlichung in der ‚Borba' in Jugoslawien. [. . .] Bei vertraulichen Informationen wurde ausdrücklich betont, daß sie ausschließlich der Information des Politbüros dienen würden, wie es bereits mit Berichten geschehen ist, die zugeleitet worden sind und die das außerordentliche Interesse der jugoslawischen Führung gefunden haben. Von jugoslawischer Seite würde man ebenfalls bereit sein, sowohl vertrauliches als auch zur Veröffentlichung geeignetes Material über die Situation auf dem Balkan regelmäßig zu geben." Als Geste guten Willens boten die jugoslawischen Gesprächspartner Thomas' an, ab Jahresanfang 1952 auf „jede finanzielle Unterstützung" der Unabhängigen Arbeiterpartei zu verzichten. Nicht zuletzt sei es die „Einstellung der UAP gegenüber der SPD" gewesen, die die Jugoslawen nun zu einer „völligen Distanzierung" von der UAP dränge. Die Jugoslawen baten dann um einen Besuchstermin beim SPD-Vorsitzenden Schumacher und luden eine hochrangige Delegation nach Belgrad ein[155].

Dieser Unterredung folgte am 12. März 1952 eine weitere, an der Erich Ollenhauer, Stephan Thomas und ein Abgesandter des Politbüros der Kommunistischen Partei Jugoslawiens teilnahmen. Er war gekommen, „um die erste offizielle Fühlungnahme mit der Sozialdemokratischen Partei in Deutschland aufzunehmen"[156]. Zudem sollte er im Auftrag der jugoslawischen Kommunisten die Schaffung einer gemeinsam herausgegebenen Zeitung anregen, die sich mit theoretischen Fragen befassen sollte. Der Abgesandte Belgrads teilte weiter mit, daß in Kürze die letzten deutschen Kriegsgefangenen entlassen würden, die Unabhängige Arbeiterpartei sei bereits aufgelöst worden. Im Gegenzug wollte Ollenhauer auf der folgenden Sitzung des Parteivorstandes vorschlagen, die SPD solle offizielle Kontakte zu den jugoslawischen Kommunisten aufnehmen. Daneben vereinbarten beide Seiten, in Zukunft Material auszutauschen.

Die guten Beziehungen von Stephan Thomas nach Jugoslawien werden auch deutlich, wenn man sich vor Augen führt, daß seine Frau mit seinem Sohn bereits Mitte der fünfziger Jahre dort Urlaub machen konnte, ohne Angst vor einer Entführung haben zu müssen, wie sie in Bonn und Berlin stets bestand.

---

[155] PATh, ungeordnet, Aktennotiz von Thomas „Streng vertraulich" vom 12. 3. 1951.
[156] Ebenda, Aktennotiz vom 12. 3. 1952.

Noch bevor das Ostbüro begann, die Beziehungen zu Jugoslawien auszubauen, hatte Stephan Thomas sich in den USA aufgehalten. Im Juli 1950 sollte er dort für Schumacher den US-Wahlkampf beobachten und zugleich vor amerikanischen Politikern und Medien die Positionen der westdeutschen Sozialdemokraten in bezug auf die Kommunisten und die noch junge DDR erläutern[157]. Im Sommer 1952 reiste Thomas erneut in die USA, wo er am 19. Juni vor der Deutschen Abteilung des State Department über die SPD-Politik gegenüber der DDR sprach. Auf einer weiteren USA-Reise im Oktober desselben Jahres sollte Thomas vor allem Kontakte zu den Medien knüpfen. Er schrieb an Fritz Heine, der im Parteivorstand auch für die Presseabteilung der SPD zuständig war: „Ich bin auf Grund meiner Erfahrungen in Amerika davon überzeugt, daß die Partei sehr stark an Resonanz gewinnen würde und viele Mißverständnisse und falsche Anschauungen vermieden werden könnten, wenn systematisch von einer zentralen Stelle in entsprechender Form unsere Auffassungen in die amerikanische Öffentlichkeit lanciert werden könnten."[158]

Zählten Auslandskontakte auch nicht zu den offiziellen Aufgaben des Ostbüros, so waren sie gleichwohl – zumindest zu Beginn der fünfziger Jahre – von zentraler Bedeutung. Die persönlichen Kontakte Erich Ollenhauers, Fritz Heines und der Mitarbeiter des Ostbüros selbst waren eine der Voraussetzungen dafür. Immer wieder warnten sie in aller Welt vor den Gefahren, die das Vordringen des Kommunismus bedeute; stets suchten sie Verbündete, um dieser Gefahr entgegenzuwirken.

Verstärkte Inlandsaufklärung

Hatten sich die Mitarbeiter des Ostbüros in den ersten Jahren noch darauf beschränkt, einzelne Personen – meist Flüchtlinge aus der SBZ – zu überprüfen, so beobachteten sie im Rahmen ihrer Inlandsaufklärung schon bald ein ganzes Spektrum verschiedener Gruppen und Parteien in Westdeutschland. An erster Stelle interessierten sie sich jedoch für die KPD der Westzonen. Galt diese einerseits als lästiger Konkurrent um die Stimmen der Arbeiterschaft, so sah die SPD in ihr doch andererseits nicht mehr als einen direkten Ableger und Befehlsempfänger der verhaßten SED.

Im Ostbüro lief eine große Menge von Berichten über die westdeutschen Kommunisten ein. Selbst über KPD-Fraktionssitzungen, wie zum Beispiel über die wirtschaftspolitische Tagung der KPD-Fraktion im Frankfurter Wirtschaftsrat am 9. Juni 1949, wurde das Ostbüro ausführlich informiert[159]. Auskünfte erhielt die SPD auch von ehemaligen KPD-Aktivisten. Einer von ihnen war

---

[157] AdsD, Bestand Schumacher Q 26 II, Brief von Thomas an Schumacher vom 17. 7. 1950.
[158] PATh, ungeordnet, Reisebericht von Thomas an Heine vom 15. 10. 1952.
[159] PATh, ungeordnet.

Herbert Wehner, der den Sozialdemokraten nicht nur Wissenswertes über die eigene frühere Tätigkeit und die seiner ehemaligen Genossen mitteilte, sondern auch Einzelheiten über den Lebenswandel führender Kommunisten[160].

In dem schon genannten „Monatsbericht über die Sonderaktionen in der Sowjetzone" vom August 1953 berichtete das Ostbüro dem Parteivorstand, die „große Verhaftungsaktion gegen FDJ- und SED-Funktionäre" vor den Bundestagswahlen sei abgeschlossen worden; erst die Ermittlungsarbeit des Ostbüros habe sie ermöglicht: „Wir hatten schon vor dem Anlaufen der SED-Aktion [zur Störung der Bundestagswahl] mehrere Warnungen in Berlin erhalten und diese den zuständigen Stellen weitergegeben. Einem Mitarbeiter gelang es, sich an diesen Aktionen zu beteiligen. Uns wurde über die Organisation und den örtlichen Einsatz der Störaktionen berichtet. Aufgrund dieser Angaben konnten die Gegenaktionen durch die niedersächsische Polizei und den Grenzschutz so zeitig eingeleitet werden, daß die gesamte SED-Aktion zerschlagen werden konnte."[161] Der eingeschleuste SPD-Mitarbeiter mußte, wie die anderen Verhafteten auch, 14 Tage in Polizeigewahrsam zubringen, ehe er in die DDR abgeschoben wurde.

Gelegentlich nahmen auch andere der SPD nahestehende Organisationen, wie der Deutsche Gewerkschaftsbund oder die Sozialistische Jugend Deutschlands, die Falken, die Dienste des Ostbüros in Anspruch. Dies belegt unter anderem ein Schreiben Dr. Rabus' vom Parteivorstand an den Genossen Theo Denker beim SPD-Bezirk Württemberg-Baden. Darin schildert Rabus, er habe in der „Angelegenheit Dr. Liselotte Becker" den „Genossen Westphal vom Verbandsvorstand der ‚Falken'" unterrichtet. „Westphal will die Vergangenheit der Becker in Zusammenarbeit mit dem Ostbüro nachprüfen."[162] Auch für die verschiedenen Tarnorganisationen der KPD interessierte sich das Ostbüro und observierte aus diesem Grund beispielsweise den „Gesamtdeutschen Arbeitskreis für Land- und Forstwirtschaft" (GALF)[163]. Mit Hilfe von Fotografien eines Ostbüro-V-Manns aus der DDR identifizierten Ostbüro-Mitarbeiter auch die bundesdeutschen Teilnehmer der 5. Weltjugendfestspiele 1955 in Warschau[164]. Daneben richteten sie ihr besonderes Augenmerk auf die Gesamtdeutschen Arbeiterkonferenzen in Leipzig sowie auf die Arbeiterkonferenzen der Ostseeländer in Rostock. Fanden sich in den Teilnehmerlisten (die dem Ostbüro für einzelne Jahre komplett und nach Bundesländern aufgeschlüsselt vorlagen) SPD-Mitglieder, so leitete man Ausschlußverfahren gegen diese ein. Gleiches geschah, wenn Genossen an anderen von der SED gesteuerten Veranstaltungen, wie etwa der Leipziger Chemikertagung im Oktober 1951, teilnahmen[165].

---

[160] PATh, Bd. A 128.
[161] Monatsberichte über die Sonderaktionen in der Sowjetischen Besatzungszone, August 1953, S. 5.
[162] AdsD, PV-Bestand, Bd. 01196, Brief von Rabus an Denker vom 26. 4. 1952.
[163] AdsD, Ostbüro-Archiv, Bd. 0479 d, Brief von Keller an Thomas vom 3. 1. 1952.
[164] AdsD, Ostbüro-Archiv, Bd. 0046 F/D, Haftbericht von Rohde vom 6. 10. 1956.
[165] AdsD, Ostbüro-Archiv, Bd. 0351 b I.

Westdeutsche Grenzpolizei und Zoll halfen dem Ostbüro bei dessen Bemühungen, kommunistischen Indoktrinationsversuchen entgegenzuwirken. So heißt es in einem Schreiben an das Ostbüro: „Am 15.7. 1950 überschritten an der Zonengrenze Eichholz-Lübeck zwei Feriengruppen von Hamburger Lehrern die Grenze. Zweck: Erholungsaufenthalt in Mecklenburg. Nach Angaben des Zollinspektors Lehner, Leiter der Grenzübergangsstelle Eichholz, mit dem wir Verbindung haben, wurde aus Gesprächen ersichtlich, daß die zwei Reisegesellschaften von der Lehrer-Gewerkschaft der Ostzone zum Ferienaufenthalt eingeladen worden sind. Beiliegend Namen und Adressen."[166] Ab 1949 beobachtete man im Ostbüro auch die politischen Aktivitäten des Nauheimer Kreises um Professor Ulrich Noack und das Sekretariat des Deutschen Kongresses, mit dem der Kreis in Verbindung stand. Noack hatte in der SBZ die CDU mitbegründet, war dann in den Westen geflohen und hatte sich der CSU angeschlossen, für die er in Würzburg als Stadtrat ehrenamtlich tätig war; 1956 wurde er Mitglied der FDP, aus der er aber 1960 wieder austrat. In den fünfziger Jahren vertrat Noack die Idee eines blockfreien Deutschlands, mit der er sich weder in der Union noch in der SPD Freunde schuf. Diverse Abschriften von Unterlagen des Noack-Sekretariats sowie Informationen über Noacks Termine und DDR-Besuche finden sich in den Akten des Ostbüros[167]. Im April 1950 entwarf Stephan Thomas gar ein Flugblatt, in dem sich ein angeblicher „Christlich Demokratischer Kampfbund in Mitteldeutschland" an den Professor wandte und ihm unter anderem mitteilte: „Wir hätten Sie gern persönlich aufgesucht, um die Antworten auf die obigen Fragen aus Ihrem eigenen Munde zu hören. Aber Ihre sowjetischen Gesprächspartner [mit denen er die Idee der Blockfreiheit diskutierte] verweigern uns nicht nur die Interzonenpässe, sondern auch Reisen außerhalb unseres Wohnortes."[168]

Neben kommunistischen und pazifistischen Gruppen behielt das Ostbüro auch konservative Gruppierungen und Zirkel im Auge. Diese wandten sich auch selbst an die SPD. Ende 1950 richtete Margarete Buber-Neumann an Annelene von Caprivi vom „Exekutiv-Komitee des internationalen Kongresses für kulturelle Freiheit" die Bitte, sie möge sich doch dafür einsetzen, daß ihre neugeschaffene „Kampfgruppe" vom Ostbüro unterstützt werde. Insbesondere fragte Frau Buber-Neumann nach Namen und Adressen von führenden Personen in der DDR, die im Exil gelebt oder in Konzentrationslagern gefangen gewesen waren, um diese in persönlichen Briefen anschreiben zu können. Außerdem schlug sie vor, im Ostbüro eintreffende SBZ-Flüchtlinge sollten einen Fragebogen ausfüllen, den sie selbst bereitstellen und auswerten wollte. Das Ostbüro legte jedoch keinen Wert auf die Zusammenarbeit mit der obskuren „Kampf-

---

[166] PATh, Bd. 1950, Schreiben vom 26.7. 1950.
[167] AdsD, Ostbüro-Archiv, Bd. 0388.
[168] PATh, Bd. Januar–Mai 1950, Manuskript und Flugblatt. Zu Noacks neutralistischer Position vgl. Schwarz, Vom Reich.

gruppe" und lehnte ab. Dennoch unterstützte Frau Buber-Neumann die Berliner Zweigstelle des Ostbüros mit Bücherspenden[169]. Wenig später gründete die konservative Aktivistin dann ein „Befreiungskomitee für die Opfer totalitärer Willkür" und behauptete im Februar 1952, ihre Organisation unterhalte 18 illegale Büros in der DDR[170].

Aus einer Pressekonferenz im Sommer 1952 warf Frau Buber-Neumann der SPD vor, das Ostbüro der Partei habe sich einer Aktion verweigert, mit der fünf Häftlinge aus DDR-Gefängnissen befreit wurden[171]. Zwischen ihr und dem Ostbüro kam es zu heftigen Auseinandersetzungen, und um für künftige Zwischenfälle gewappnet zu sein, sammelte das Ostbüro nun auch Material über die Buber-Neumann-Organisation. Deren Verbindungen zu amerikanischen Finanziers schilderte ein ehemaliger Mitarbeiter der Gruppe, der auch von Problemen in der Ehe von Frau Buber-Neumann berichtete[172].

Seit 1951 kümmerte man sich im Ostbüro auch um den Bund Deutscher Jugend (BDJ). So gelangten neben Vorstandsschreiben der Organisation[173] Bombenbaupläne, Unterlagen über Sabotagevorhaben und Überlegungen zur Partisanentätigkeit auf beiden Seiten der Zonengrenze in den Besitz der SPD. Mitte 1952 informierte dann sogar der ehemalige Pressereferent des Bundes Deutscher Jugend das Ostbüro über seine Zeit als Mitglied der Bundesleitung[174]. Gestützt auf Unterlagen des Ostbüros konnte der hessische Innenminister ein Verbot dieser rechtsextremen Organisation durchsetzen.

Geradezu perfekt waren die Erhebungen des Ostbüros über die „Vereinigung der Opfer des Stalinismus" (VOS). Bereits im Oktober 1955 lag Thomas ein Bericht über fingierte Abrechnungen der VOS vor[175]. 1957 und 1958 wurde die Ostbüroakte über die VOS durch diverse interne Vorstandsschreiben ergänzt. Zu den verfügbaren vertraulichen Informationen gehörten auch die Eintrittsdaten der Vorstandsmitglieder in die NSDAP etc., die nur aus dem amerikanischen Document Center in Berlin stammen konnten[176].

Von der Gründung im Sommer 1948 an sehr reserviert war der Kontakt des Ostbüros zur „Kampfgruppe gegen Unmenschlichkeit" (KgU). Diese vergleichsweise einflußreiche und bekannte Organisation, die mit amerikanischem Geld arbeitete, ging 1950 von reinen Propagandamaßnahmen zu Sabotageaktionen in der DDR über. Mehrere Mitarbeiter wurden in der DDR zu hohen Strafen verurteilt, einige mit dem Fallbeil hingerichtet. Selbstverständlich interessierte sich das Ostbüro für das Handeln der Kampfgruppe. Thomas hatte

---

[169] AdsD, Ostbüro-Archiv, Bd. 0479 i, Aktennotiz vom 25. 10. 1950.
[170] AdsD, Ostbüro-Archiv, Bd. 0479 i, dpa-Meldung Köln vom 20. 2. 1952.
[171] AdsD, Ostbüro-Archiv, Bd. 0479 i, Aktennotiz von Dr. Eckert an Thomas vom 31. 7. 1952.
[172] Ebenda, Bericht von B 675 vom 25. 9. 1952.
[173] AdsD, Ostbüro-Archiv, Bd. 0368 b, Brief von Norbert an Lüth vom 14. 10. 1952.
[174] AdsD, Ostbüro-Archiv, Bd. 0368 b.
[175] AdsD, Ostbüro-Archiv, Bd. 0479 h, Bericht vom 1. 10. 1955.
[176] Ebenda, Aktennotiz von Bärwald vom 10. 12. 1956.

schon früh im Privatleben der Leiter dieser Organisation geforscht. Über Rainer Hildebrandt schrieb er an Herbert Wehner, er sei ein „weicher, bürgerlicher Junge", kein sehr realistisch denkender Mensch. Hildebrandt könne die Konsequenzen seiner Arbeit überhaupt nicht übersehen. Angesichts der „unverantwortlichen Pläne dieses Vereins", über den vor allem Arno Scholz Informationen lieferte[177] und den man anfangs mit einem gewissen Wohlwollen toleriert habe, sei man jetzt zur Ablehnung übergegangen[178].

---

[177] AdsD, Nachlaß Scholz, Bd. KgU.
[178] PATh, Bd. A 128, Brief von Thomas an Wehner vom 29. 10. 1950.

IV. Das Ostbüro und der 17. Juni 1953

Auf ihrer 2. Parteikonferenz vom 9. bis 12. Juli 1952 beschloß die SED eine Reihe von Maßnahmen zur Wirtschaftspolitik, die dazu beitragen sollten, die „Grundlagen des Sozialismus" zu schaffen[1]. Tatsächlich waren die Beschlüsse notwendig geworden, um die überhastete Aufrüstung zu finanzieren und die Folgen des steten Flüchtlingsstroms gen Westen zu mildern. Unter anderem wurden die Arbeitsnormen in den Betrieben um zehn Prozent heraufgesetzt. Nachdem es deshalb im Frühjahr 1953 zu ersten vereinzelten Streiks in größeren Industriebetrieben gekommen war, mit denen die Arbeiter ihrem Unmut über die Wirtschaftspolitik des Regimes Luft machten, revidierte das Politbüro der SED am 9. Juni die Beschlüsse. Die höheren Normen blieben allerdings in Kraft. Dagegen protestierten Bauarbeiter am 15. Juni in einer Resolution an den DDR-Ministerpräsidenten Grotewohl. Als dieser nicht reagierte, formierte sich einen Tag später ein Demonstrationszug von Arbeitern auf der Ost-Berliner Stalinallee. Zunächst marschierten die Demonstranten zum Gebäude des Freien Deutschen Gewerkschaftsbundes (FDGB), doch dort wollte niemand mit ihnen verhandeln. Dann zogen sie zum Haus der Ministerien. Hier versuchten Industrieminister Fritz Selbmann und Robert Havemann mit den aufgebrachten Bauarbeitern zu sprechen. Die beiden wurden aber niedergeschrieen. Von diesen Ereignissen alarmiert, beschloß der Ministerrat der DDR noch am Abend, nun auch die zehnprozentige Normenerhöhung zurückzunehmen[2]. Doch das Einlenken kam zu spät; inzwischen forderten die Demonstranten bereits den Rücktritt der Regierung und wollten ihn mit einem Generalstreik am nächsten Tag erzwingen. Die Arbeitsniederlegungen am 17. Juni hatten Massenproteste in etwa 270 Städten der DDR zur Folge, aufgrund derer sofort die sowjetische Armee eingriff und den Aufstand schließlich niederschlug.

Ostdeutsche Autoren sahen bis 1974 in den „konterrevolutionären Ausschreitungen" des 17. Juni Ereignisse, „an deren Spitze sich Agenten der imperialistischen Geheimdienste und ehemalige Faschisten" gestellt hatten[3]. Diese hätten versucht, den „von langer Hand vorbereiteten Tag X kurzfristig zu provozieren", da es Politbüro und Regierung mit ihren Beschlüssen vom 11. Juni 1953

---

[1] Vgl. Kleßmann, Die doppelte Staatsgründung, S. 278 ff.
[2] Vgl. Dokumente der SED, Bd. 4, S. 432.
[3] Vgl. Akademie der Wissenschaften der DDR, DDR, Werden und Wachsen.

gelungen sei, die Pläne der westlichen „Kriegstreiber" zu durchkreuzen. „In diesem Augenblick entschlossen sich die westlichen Regierungen zum Tage X."[4] Es überrascht nicht, daß es nur wenig später in der *Lausitzer Rundschau* hieß, das „Ostbüro der SPD [sei] offensichtlich maßgeblich an der Vorbereitung der faschistischen Verbrechen vom 17. Juni beteiligt" gewesen[5]. Belegt wurde diese Behauptung allerdings nicht. Denselben, ebensowenig bewiesenen Vorwurf hatte im Westen schon am 9. Juli 1953 der Parteivorstand der KPD erhoben[6]. Und im September schrieb Karl Litke im *Neuen Deutschland:* „Der faschistische Angriff am 17. Juni auf die Arbeiter- und Bauernmacht der DDR fand die aktive Teilnahme rechter SPD-Führer und sozialdemokratischer Kleinbürger." Das Ostbüro sei mitverantwortlich gewesen für diesen „faschistischen Putschversuch"[7].

Selbst in der belletristischen Literatur der DDR erscheinen die angeblichen, mit Pistolen bewaffneten Saboteure des Ostbüros als Anstifter des Arbeiteraufstandes. Stefan Heyms Ostbüro-Agenten haben „Spinnenhände", prügeln und vergewaltigen ihre Frauen und Freundinnen, sind von der Natur durch Hasenscharten (die ja schon bei Karl May untrüglich den Verbrecher verraten), zumindest aber durch rote Haare und Glasauge gebrandmarkt[8]. Erst die neuere DDR-Geschichtsschreibung versuchte, diese Verschwörungsthese vorsichtig zu korrigieren. Zu den Streiks, so hieß es nun, sei es ohne Zutun des Westens gekommen. Jener habe die entstandene Situation dann allerdings ausgenutzt[9]. So sei es das Ziel der „Agenten des Ostbüros der SPD" gewesen, die „Herrschaft der Konzernherren und Militaristen" auch in der DDR wiederaufzurichten[10]. Die Agententheorie gilt inzwischen als von der Geschichtsschreibung widerlegt[11].

Im Frühjahr 1953 erhielt das Ostbüro die ersten Berichte über Streiks in der DDR. „Diese häuften sich im Mai, und Anfang Juni war zu erkennen, daß die Streikbewegung sich über das ganze Land ausbreitete." Zunächst äußerten sich die Proteste der Arbeiter in Einzelaktionen, wie im VEB Hermann Matern in Rosswein. Im Synthesewerk Schwarzheide in der Niederlausitz machte die Belegschaft einen Sitzstreik, und Ende Mai legten die Beschäftigten der Finsterwalder Maschinen AG in Finsterwalde-Massen und in einigen Magdeburger Betrieben die Arbeit nieder. Das Regime reagierte: Bereits im März hatte es Entlassungen gegeben, zum Beispiel im Glühlampenwerk Dresden und im

[4] Deutsches Institut für Zeitgeschichte (Hrsg.), Dokumente, Erklärung über die Lage, S. 2691.
[5] Lausitzer Rundschau vom 14. 10. 1953, S. 1.
[6] Vgl. DIZ, Dokumente, Rede Reimann vom 9. 7. 1953, S. 2832 ff.
[7] Neues Deutschland vom 29. 9. 1953, S. 4.
[8] Vgl. Heym, 5 Tage im Juni.
[9] Vgl. Spittmann, Der 17. Juni, S. 204.
[10] Protokoll der Verhandlungen des V. Parteitages der SED vom 20.–24. 7. 1950, Bd. 1, S. 215 f.
[11] Vgl. Fricke, Der 17. Juni, S. 5.

Sachsenverlag[12]. Auch die Döberner Textil- und Glasindustrie hatte nach Berichten, die das Ostbüro erhielt, Mitarbeiter vor die Tür gesetzt[13]. In Erkner hatte die Polizei im März 1953 sogar auf streikende Arbeiter geschossen, als diese den Bahnsteig stürmten[14].

Obwohl das Ostbüro keine dieser Aktionen durch seine Vertrauensleute initiiert hatte, ging man in der Bonner Zentrale doch davon aus, die eigenen Genossen hätten aufgrund ihres standhaften Widerstandes gegen das kommunistische System eine führende Rolle während der Ereignisse gespielt. Im „theoretischen Organ" des Ostbüros, der *Einheit*, schrieb Martin Helmer: „Die mitteldeutsche Arbeiterschaft blieb ihrer sozialdemokratischen Tradition treu. Sie scharte sich um die illegalen Funktionäre der SPD und zeigte am 17. Juni [. . .] der ganzen Welt, daß sie die ihr von der Besatzungsmacht aufgezwungene SED-Diktatur ablehnte."[15] Nicht nur Helmer war der Meinung, daß illegal tätige SPD-Funktionäre den Aufstand angeführt hatten. Auch Horst Sindermann, Sekretär des SED-Zentralkomitees, erklärte im Oktober 1953 auf einer Bezirkskonferenz seiner Partei in Halle: „Wir sollten untersuchen, woher es kommt, daß die Agenturen des Ostbüros der SPD einen relativ größeren Einfluß bei den Arbeitermassen haben als andere Agenturen. [. . .] Wir haben sie doch in den Tagen des 17. Juni kennengelernt." Viel zu untersuchen blieb allerdings nicht, denn Sindermann hatte die Gründe bereits gefunden. Die sozialdemokratischen Agenten hätten deshalb so viel Einfluß, weil sie „mit gerissener Demagogie" und „großem Pathos" Wohnraumprobleme und andere soziale Härten aufgegriffen hatten, „um die Arbeiter ihrem Einfluß zu unterwerfen"[16].

Tatsächlich wurde das Ostbüro jedoch von den Ereignissen genauso überrascht wie die Führungsspitze der SED. Zwar war Stephan Thomas bereits am 15. Juni nach West-Berlin geflogen, doch hatte er – wie er später betonte – in Gesprächen mit den Arbeiter-Delegationen, beispielsweise des Stahlwerks Henningsdorf, diesen am 17. Juni von einem Generalstreik abgeraten und sie beschwichtigt, „denn wir wußten: Am Ende des Generalstreiks standen die sowjetischen Panzer"[17]. Am 16. Juni erstattete Eberhard Zachmann, der später die Berliner Zweigstelle des Ostbüros leiten sollte, dem Parteivorstand in Bonn Bericht. Er teilte später mit, es seien nur einige wenige V-Leute des Ostbüros im Zusammenhang mit den Arbeiterprotesten verhaftet worden. Sie hätten an Aktionen teilgenommen, obwohl sie aufgefordert worden wären, so Zachmann, „sich *niemals* aktiv [zu] betätigen und sich damit zu erkennen" zu geben[18].

Wenn schon keine „Agenten" des Ostbüros, so waren vielfach doch ehemalige

---

[12] AdsD, PV-Bestand, Bd. 01345.
[13] Ebenda, Bericht vom 8. 3. 1953.
[14] Monatsbericht über die Sonderaktionen in der Sowjetischen Besatzungszone, Juni 1953, S. 2.
[15] Einheit, Marx kontra SED, S. 9.
[16] Freiheit, Halle, vom 13. 10. 1953, S. 4.
[17] Thomas im Interview vom 1. 7. 1986, S. 3.
[18] Brief von Zachmann an den Verf. vom 23. 5. 1988.

Sozialdemokraten für den Ausbruch der Streikwelle in der gesamten DDR verantwortlich[19]. Auch Otto Grotewohl wußte, daß „zum Beispiel [in] Magdeburg, Leipzig und andern [Städten] illegale Organisationen aus ehemaligen SPD-Mitgliedern [bestanden], die noch immer den arbeiterfeindlichen Auffassungen der
Sozialdemokratie anhingen"[20]. Diese Gruppen hielten, wie Stößel schildert, mit
ihrer Meinung nicht hinterm Berg: „In der Maschinenfabrik Meuselwitz/Alten-
burg z. B. forderten sie ,die Schaffung einer sozialdemokratischen Fraktion innerhalb der SED'. Im Kreis Altenburg machten viele Genossen ohnehin kein Hehl aus
ihrer politischen Heimat, der SPD. Über fünfzig der 300 Genossen umfassenden
BPO [Betriebsparteiorganisation] im VEB Nähmaschinenwerk Altenburg verließen deshalb nach dem 17. 6. 53 die Partei. Einer sagte: ,Ich stehe auf dem Boden
der SPD und will mit dem Kommunistenpack nichts zu tun haben.' Der 1. Sekretär
des Braunkohlenwerkes, der größten Betriebsparteiorganisation des Kreises, war
dabei, die Partei neu zu organisieren. In Görlitz riefen in den Junitagen SED-Mitglieder ,öffentlich' die Wiedererstehung der SPD aus. Noch am 20. 2. 54 meldete
das Zentralorgan, in der VEB Textima Görlitz habe eine Genossin in einer Partei-
versammlung unwidersprochen erklären können, ,daß wir schon viel weiter
wären, wenn die Vereinigung der beiden Arbeiterparteien unterblieben wäre'. Als-
dann wurde diese Genossin als Mitglied für die neue SED-Kreisleitung Görlitz
vorgeschlagen. Im benachbarten Kreis Zittau vertraten SED-Mitglieder des
Braunkohlekraftwerkes Hirschfeld unverhohlen die politischen Positionen der
westdeutschen SPD."[21]

Die SPD-Vertrauensleute in der DDR reagierten auf den Aufstand der Arbeiterschaft unterschiedlich. „V-Mann 147" lagerte am 17. Juni vorsorglich seine
„F-Anlage" aus (die Abzugsmaschine für illegal angefertigte Flugblätter). Drei
Tage später geriet er in Haft[22]. Andere Vertrauensleute beteiligten sich selbst an
Demonstrationen. Und einer initiierte sogar die angebliche „Entführung" des
stellvertretenden DDR-Ministerpräsidenten Otto Nuschke (CDU). Im Juli 1953
berichtete Stephan Thomas dem SPD-Parteivorstand, der betreffende V-Mann
habe Nuschke während der Berliner Demonstration im Auto gesehen[23]. Das
Ostbüro besaß schon seit 1952 eine Liste der Wagennummern und Autotypen
kommunistischer Spitzenfunktionäre, die auch die entsprechenden Angaben zu
Nuschkes Fahrzeug enthielt[24]. Nachdem der V-Mann den DDR-Minister entdeckt hatte, so schilderte Stephan Thomas weiter, „organisierte [er] sofort ein
Kommando, das Nuschke in die Westsektoren abdrückte. [...] Dieser V-Mann
führte den Streik in einem Berliner Werk, und im Schwunge der Begeisterung
hatte er vor versammelter Belegschaft scharfe Reden gegen das Regime in der

---

[19] Vgl. Fricke, Opposition, S. 96.
[20] Grotewohl, Der neue Kurs, S. 32.
[21] Stößel, Positionen, Bd. 1, S. 611 f.
[22] AdsD, Ostbüro-Archiv, Bd. 0394 c, Bericht vom Dezember 1955.
[23] Monatsbericht über die Sonderaktionen in der Sowjetischen Besatzungszone, Juli 1953, S. 19.
[24] AdsD, Ostbüro-Archiv, Bd. 0302 I.

Zone geführt." Obwohl er nach seiner Verhaftung vom Staatssicherheisdienst der DDR angeblich wieder freigelassen worden war, sah man den kämpferischen V-Mann nie wieder. Stephan Thomas nahm deshalb an, jener weile „nicht mehr unter den Lebenden"[25]. Ausführlicher stellte „V-Mann 143" die Vorgänge dar: „Kurz vor der Warschauer Brücke kam dem Demonstrationszug ein Personenwagen mit einer GB-Nummer [reserviert für Staatsorgane] entgegen. In dem Wagen erkannten die Demonstranten den Stellvertretenden Ministerpräsidenten Nuschke. Sofort wurde der Wagen umringt. Der Chauffeur wollte unter Gasgeben davonjagen, aber ein gewitzter Kollege griff durchs Fenster und zog den Starterschlüssel heraus. Der Zorn einiger Demonstrationsteilnehmer war so groß, daß sie mit Fäusten auf Nuschke und seinen Chauffeur einschlagen wollten, doch konnte man sie davon überzeugen, daß es nicht der Sinn der Demonstration [sei], durch Schlägerei die gesteckten Ziele zu erreichen. Nuschke wurde zwei [West-Berliner] Stumm-Polizisten übergeben", einige Stunden festgehalten und dann nach Ost-Berlin abgeschoben[26].

Obwohl das Ostbüro seit seiner Reorganisation nur noch Kontakt zu Einzelpersonen in der DDR hielt und die Arbeit von illegalen Gruppen aus Sicherheitsgründen ablehnte, bestanden solche an einigen Orten nach wie vor. Das hatte verheerende Folgen: So wurden zum Beispiel vier von fünf Mitgliedern einer illegalen SPD-Gruppe aus Fürstenwalde verhaftet. Nur einem gelang es, „unter dramatischen Umständen" zu flüchten. Fritz Borges, ein weiterer V-Mann, der seit 1948 mit dem Ostbüro in Verbindung gestanden hatte, wurde zu eineinhalb Jahren Gefängnis verurteilt, andere Mitglieder seiner Gruppe konnten flüchten[27].

Noch ist nicht geklärt, wie viele SPD-Vertrauensleute und Berichterstatter oder Personen aus deren Umfeld aufgrund der Ereignisse des 17. Juni insgesamt verhaftet wurden. Stephan Thomas meinte im Juli 1953, die in den Monatsberichten aufgeführten Personen stellten „nur eine kleine Auswahl aus der Liste unserer verhafteten Freunde"[28] dar. Zwar sei der Apparat des Ostbüros intakt geblieben, doch man habe schmerzliche Verluste erlitten. „Zu [weit] exponiert" habe sich unter anderem der „Parteifreund Schwarz", der daraufhin verhaftet worden sei. Weil er zum Streik aufgefordert habe, sei der Bernburger Genosse M. Sack im Februar 1954 zu fünf Jahren Haft verurteilt worden[29]. Und in Dresden sei ein V-Mann der „Kampfgruppe Kurt Schumacher" im Gefängnis sogar zu Tode gekommen, weil er, so das Ostbüro im August 1953, die Namen seiner Freunde nicht preisgegeben habe[30].

---

[25] Monatsbericht über die Sonderaktionen in der Sowjetischen Besatzungszone, Juli 1953, S. 19.

[26] PATh, ungeordnet, Bericht V 143 vom 17. 3. 1953, 17 Uhr 50; dort auch die folgende Darstellung.

[27] AdsD, Ostbüro-Archiv, Bd. 0337 II, Bericht vom Borgess vom 12. 8. 1955.

[28] Monatsbericht über die Sonderaktionen in der Sowjetischen Besatzungszone, Juli 1953, S. 20; dort auch das folgende Zitat.

[29] Vgl. Fricke, Politik und Justiz, S. 593.

[30] Monatsbericht über die Sonderaktionen in der Sowjetischen Besatzungszone, August 1953, S. 18.

Schon Ende Juni 1953 hatte Stephan Thomas dem Parteivorstand berichtet, in welcher Form das Ostbüro die Streikenden unterstützte: „In Ostberlin hatten wir einen eigenen Nachrichtendienst eingerichtet, der uns sofort über den augenblicklichen Stand der Ereignisse auf dem Laufenden hielt. Die Leiter des Ostbüros [Thomas und Weber alias Wandel] waren an Ort und Stelle, um die Vorgänge zu beeinflussen. Mit Streikkomitees sind Verhandlungen über den weiteren Verlauf und die Taktik des Aufstandes geführt worden. [. . .] Hätte die Besatzungsmacht nicht eingegriffen, so gehörte das SED-Regime der Vergangenheit an, und unser illegaler Apparat könnte in aller Öffentlichkeit seine Aufgaben erfüllen."[31] Obwohl Sektoren- und Zonengrenze von den Sicherheitsbehörden der DDR abgeriegelt worden waren, gelang es dem Ostbüro, so Thomas, „eine größere Anzahl gefährdeter Personen nach Westberlin zu bringen". Für V-Leute, die in der Gefahr schwebten, verhaftet zu werden, hatten Mitarbeiter des Büros nach dem 17. Juni Passierscheine nachgedruckt[32].

Die Tatsache, daß plötzlich Arbeiter gegen die Arbeiterregierung zu streiken und protestieren begannen, brachte die SED in arge Begründungsnöte. Als Ausweg bot sich an, die SPD der Urheberschaft an den Ereignissen zu bezichtigen. Diese Behauptng ist, wie Peter Lübbe schreibt, „mit Verlaub gesagt ausgemachter Unsinn"[33]. Auf der anderen Seite ist Stephan Thomas' Einschätzung durchaus zuzustimmen, „daß die Millionen von Flugblättern und Hunderttausende von Zeitungen nicht unwirksam gewesen sind und ihren Niederschlag gefunden haben in den Kampfparolen, die in den Tagen des Aufstandes in den Betrieben und Städten der Zone von den demonstrierenden Arbeitern erhoben worden sind". Laut Thomas lösten aber nicht die Schriften selbst, sondern die aus der „Bilanz der achtjährigen Katastrophenpolitik der SED abgeleiteten Folgerungen den Arbeiteraufstand aus". Sie „leiteten den revolutionären Prozeß in der Sowjetzone ein, dessen Ablauf [dann] durch seine eigene Gesetzmäßigkeit bestimmt wurde". Des weiteren empfahl Thomas, ein überzeugter Marxist: „Die Artikelschreiber vom ‚Neuen Deutschland' sollten in den Schriften von Marx und Engels nachlesen, was dort über revolutionäre Aktionen der Arbeiterklasse geschrieben steht." Die Väter des Marxismus seien nämlich, so Thomas in einer RIAS-Rede im Juli 1953, durch den „Arbeiteraufstand in der Zone erneut bestätigt" worden[34].

In seiner Propaganda versuchte das Ostbüro an die Ereignisse des 17. Juni anzuknüpfen. Da der Freie Deutsche Gewerkschaftsbund der DDR die Belange der Arbeiterschaft während des Aufstandes nicht unterstützt habe, könne er, so die Argumentation, auch gar keine richtige Gewerkschaft sein. Schon am 18. Juni 1953 beendete RIAS-Redakteur Walter Gerhard einen Rundfunkbei-

---

[31] Monatsbericht über die Sonderaktionen in der Sowjetischen Besatzungszone, Juni 1953, S. 18.
[32] Ebenda, S. 26. Ein Exemplar dieser Passierscheine wurde dem Monatsbericht beigefügt.
[33] Vgl. Lübbe, Kommunismus, S. 184; dort auch die folgenden Zitate von Thomas, S. 4 und S. 3.
[34] AdsD, Ostbüro-Archiv, Bd. 0394 c, Manuskript der RIAS-Rede von Thomas vom 19. 7. 1953.

trag daher mit den Worten: „Das also wäre eine Schlußfolgerung: Keine Mitgliedsbeiträge mehr für den FDGB."[35] Um dem DDR-Gewerkschaftsbund
zumindest finanziell zu schaden, ließ das Ostbüro auch FDGB-Beitragsmarken
perfekt fälschen oder „organisieren". Je Wertstufe verfügte es bald über
10000 Marken und daneben noch einmal über 10000 Beitragsmarken der
Gesellschaft für deutsch-sowjetische Freundschaft. Damit, so das Ostbüro in
einem Bericht an den Parteivorstand im Herbst 1953, könne man zumindest
einem Teil derer helfen, die keine Mitgliedsbeiträge zahlen wollten. Denn die
Marken würden auf verschiedenen Wegen „in die Zone eingeschleust" und dort
„manche Schwierigkeiten" beheben[36]. Die Aktion des Ostbüros scheint erfolgreich verlaufen zu sein, berichteten doch im November und Dezember 1953 das
SED-Zentralorgan *Neues Deutschland* sowie andere DDR-Zeitungen über im
Umlauf befindliche gefälschte FDGB-Marken[37].

Knapp einen Monat nachdem die sowjetischen Truppen den Arbeiteraufstand
in der DDR niedergeschlagen hatten, forderte am 14. Juli der sowjetische Hohe
Kommissar Wladimir Semjonow in einem Brief an die westalliierten Hohen
Kommissare die Auflösung des Ostbüros der SPD und anderer „verbrecheri-
scher Organisationen". Im Zusammenhang mit dem 17. Juni warf er diesen
Brandstiftungen, Plünderungen und Ausschreitungen vor[38]. In seinem Bericht
an den Parteivorstand antwortete Stephan Thomas, „Herr Semjonow weiß
ebensogut wie wir, daß die Mitarbeiter des Ostbüros weder plündern noch
Häuser anstecken. Die bedauerlichen Ausschreitungen wurden von Elementen
verübt, die sich in völlig falscher Einschätzung der Kampfmittel dieser Ausschreitungen bedient haben. Leider haben wir keinen Einfluß auf diese nicht zu
uns gehörenden Elemente, die das Ansehen und die Kampffreudigkeit nur stö-
rend beeinflussen"[39]. Noch im Juni 1953 hatten sich diese „Elemente" beim Ostbüro beklagt: „Wir haben vergeblich auf den Waffenregen gewartet, den wir
brauchen, um unsere Peiniger abzuschütteln. Diese haben in die völlig wehrlose
Masse hineingeschossen und keiner konnte es ihnen heimzahlen."[40]

Verstärkte Propaganda

Kurze Zeit vor dem 17. Juni hatte das Ostbüro damit begonnen, Vervielfälti-
gungsgeräte an zuverlässige Vertrauensleute in der DDR zu verteilen. Diese
druckten oft noch während des Aufstandes Flugblätter zur aktuellen Situation

---

[35] PATh, ungeordnet, RIAS-Manuskript vom 18. 6. 1953.
[36] Monatsbericht über die Sonderaktionen in der Sowjetischen Besatzungszone, Oktober 1953, S. 19.
[37] Vgl. Neues Deutschland vom 21. 11. bzw. 4. 12. 1953, jeweils S. 3, sowie Tägliche Rundschau vom
21. 11. 1953, S. 1.
[38] Vgl. Tägliche Rundschau vom 15. 7. 1953, S. 1.
[39] Monatsbericht über die Sonderaktionen in der Sowjetischen Besatzungszone, Juli 1953, S. 23.
[40] PATh, ungeordnet, Bn 9429, Brief vom 18. 6. 1953.

und verteilten sie an Demonstrationsteilnehmer. So forderten beispielsweise die Genossen in Dresden auf etwa 10 000 Handzetteln den Rücktritt der „arbeiterfeindlichen Regierung" sowie „Frieden und Einheit in Freiheit"[41]. Noch Monate später füllten der „Neue Kurs" der SED-Führung und die Wirkungen und Folgen des 17. Juni die Spalten sozialdemokratischer Publikationen, die in der DDR illegal vertrieben wurden. Ostdeutsche Vertrauensleute stellten auch im August und September noch Flugblätter her, die sich auf den Arbeiteraufstand bezogen und Konsequenzen forderten. Die „Widerstandsbewegung Sachsens" rief die Bevölkerung der „sowjetischen Besatzungszone" dazu auf, keine Gewerkschaftsbeiträge mehr zu zahlen. In ihrer Flugschrift, die in einer Auflage von 4000 Stück produziert und verbreitet worden war, warnte sie jedoch gleichzeitig davor, sich „durch leichtsinniges Reden oder Einzelaktionen einer Gefahr" auszusetzen. Auch das in 3000 Exemplaren verteilte Flugblatt „Arbeiterwehr? Ohne uns" verlangte von den FDGB-Mitgliedern, die Beitragszahlung zu verweigern; hier kam die Matrize aus dem Berliner Ostbüro, wurde jedoch in Brandenburg vervielfältigt. „V-Mann 290" aus Dresden forderte auf 4000 Blättern im Namen des „Widerstandskomitees Sachsen" den Rücktritt der Regierung und freie Wahlen[42].

Nach dem 17. Juni nahm die Intensität der Ostbüro-Propaganda zu, während sich zugleich ihre Linie änderte. Nun riefen die Genossen die Ostdeutschen zu massenhafter individueller Widerstandstätigkeit auf, die letztlich das gesamte Gesellschafts- und Wirtschaftssystem der DDR hätte zerrütten sollen. In den Mittelpunkt rückte dabei die Parole „arbeite langsam", die millionenfach auf Flugblättern und in illegalen Zeitungen verbreitet wurde. Diese Art von passivem Widerstand sollte vor Ort die Betriebsleitungen und die Führungen der Betriebsgewerkschaften unter Druck setzen und die Freilassung verhafteter Kollegen erzwingen[43]. Auch die Flugblätter „Neue Befehle an den FDGB", offiziell herausgegeben vom Ostbüro in Berlin, und „Arbeiter der Sowjetzone", für das ein ominöser „Freiheitsrat der Widerstandsbewegung der Sowjetzone" verantwortlich zeichnete, forderten im Oktober 1953 in einer Auflage von 2,7 Millionen Exemplaren die Bevölkerung dazu auf, das Arbeitstempo zu drosseln. Phantasienamen wie der des „Freiheitsrates" trugen wohl nicht unwesentlich dazu bei, die Agentenpsychose des DDR-Regimes zu verstärken und seinen Verdacht zu erhärten, der Aufstand sei zentral gelenkt worden. Da dieser erfolglos verlaufen war, rief das Ostbüro die Volksmassen im übrigen nur noch selten martialisch zum Sturz der ostdeutschen Regierung auf, verstärkte aber dennoch seine Propagandatätigkeit.

Ein auf Zeitungspapier und im Großformat gedrucktes Flugblatt ließ das Ost-

---

[41] Monatsbericht über die Sonderaktionen in der Sowjetischen Besatzungszone, Juli 1953, Anlage II, S. 13–16.

[42] PATh, ungeordnet.

[43] PATh, ungeordnet, V 322, Bericht vom 10. 7. 1953.

büro erstmals im Juli 1953 in der DDR verteilen. Hergestellt in der Berliner Telegraf-Druckerei, schilderte es in 220 000facher Ausfertigung die Ereignisse im Verlauf der Streikwelle. Damit werde, dessen war sich das Ostbüro gewiß, der Bevölkerung „das stolze Bewußtsein vermittelt, daß der spontane Aufstand die SED ohne die Hilfe der Besatzungsmacht zerschlagen hätte". Mit der Biographie Walter Ulbrichts beschäftigten sich Autoren des Ostbüros dann in einem Flugblatt, das im August 1953 in einer Auflage von 400 000 Stück unter die Leute gebracht wurde. Es trug den Titel „Ulbricht – Verräter und Mörder" und sollte dazu beitragen, so Stephan Thomas, „die Position dieses Mannes systematisch zu untergraben". Denn: „Mord, Verrat und Terror zeichneten den Weg Ulbrichts zur Macht."[44]

Gleichzeitig erschienen in Kleinauflagen Flugblätter, die die V-Leute des Ostbüros auf ihren Matrizen-Abzugsgeräten herstellten. Meist waren sie an Nachbarn oder Arbeitskollegen gerichtet und trugen, wie das von der örtlichen „SPD-Widerstandsgruppe" erstellte Flugblatt „An die Arbeiterschaft von Freital", einen entsprechenden Titel. In einer Auflage von immerhin 40 000 Exemplaren erschien das Flugblatt „Dresdner SED-Funktionäre fürchten die Rache des Volkes", in dem deutlich wurde, über welche Detailkenntnis das Ostbüro und seine V-Leute verfügten: „Bei acht Spitzenfunktionären der Bezirksleitung der SED in der Devrientstraße wurden in den Dienstzimmern Alarmanlagen eingebaut. [...] Auch diese direkten Leitungen [zum Staatssicherheitsdienst] werden die für das Elend der Massen Verantwortlichen eines Tages nicht vor der gerechten Strafe schützen können. [...] Der letzte Ministerpräsident Sachsens, Seydewitz, fristet [...] sein politisches Gnadenbrot in der Bezirksleitung in Gesellschaft einer ihm vor kurzem zugeteilten Sekretärin, die den Stasi-Auftrag hat, ihn zu bespitzeln."[45] Ähnlich programmatische Namen wie der Herausgeber dieses Flugblattes, das „SPD-Widerstandskomitee Dresden", gaben sich auch andere, die aus der Illegalität heraus mit Flugschriften den Kampf für ihre Rechte fortsetzten, so zum Beispiel die „Vereinigten SPD-Widerstandsgruppen Westsachsens" oder das „Komitee der Widerstandskämpfer der SPD Ostbrandenburg".

Dank verbesserter Apparate erhöhte sich die Auflage der in eigener Regie produzierten Flugblätter gegen Ende 1953 ständig. Hatten die Genossen im Juni nicht mehr als 200 Stück pro Vorlage anfertigen können, so zogen sie mit Hilfe einer Gummiwalze zum Beispiel das Zwickauer Flugblatt „Der 17. Juni 1953« im September desselben Jahres 7000mal ab. Den Gummistempel des Matrizengeräts rollten sie zudem an Hauswänden ab. Gleichzeitig begann das Ostbüro nun speziell für den Osten Deutschlands die Parteizeitung *Der Sozialdemokrat* herauszugeben. Mit ihr stellte man sich bewußt in die Tradition der ersten Berliner SPD-Zeitung nach der Zwangsvereinigung, deren erste Ausgabe

[44] Monatsbericht über die Sonderaktionen in der Sowjetischen Besatzungszone, Juli 1953, S. 7.
[45] PATh, ungeordnet.

unter ihrem Gründungschefredakteur Gustav Klingelhöfer am 3. Juni 1946 erschienen war. Klingelhöfer war schon nach zwei Monaten von seinem Posten zurückgetreten, weil britische Presseoffiziere versucht hatten, Kritik an der sowjetischen Deutschlandpolitik zu unterbinden[46].

Der *Sozialdemokrat* des Ostbüros wurde ab 1953 unter der Kopfzeile „Für das Volk – gegen seine Unterdrücker" publiziert. Die Zeitung hatte zunächst vier Seiten und kommentierte auf der Titelseite unter der Rubrik „Die Stunde schlägt" kurz die aktuelle politische Situation. Darunter prangte jeweils eine Losung, die zum Beispiel lautete: „Durch die Solidarität aller Deutschen werden wir siegen. Die Einheit in Freiheit ist nicht zu verhindern!"[47] Das Ostbüro hatte den *Sozialdemokrat* wieder ins Leben gerufen, um, so Stephan Thomas, dem „schon lange von vielen Seiten an uns herangetragenen Wunsche nach[zukommen], eine speziell sozialdemokratische Zeitung für die Zone herauszugeben, die auch äußerlich als solche erkennbar ist"[48]. Fritz Heine bezeichnete sie als ein „regelmäßig erscheinendes Kampfblatt des Parteivorstandes der SPD für die Bevölkerung Mitteldeutschlands"[49]. Von 1953 bis 1955 erschien der *Sozialdemokrat* etwa monatlich, dann in einem Rhythmus von zwei bis drei Wochen. Zu wichtigen Ereignissen wie Partei- oder Jahrestagen in West und Ost kamen Sonderausgaben heraus.

Hatte die erste Auflage noch 80 000 Exemplare betragen, so wurden von der Oktoberausgabe 1953 schon 120 000 Stück hergestellt. Ein Teil der Artikel des *Sozialdemokrat* entstand in der Berliner Ostbüro-Zweigstelle in der Langobardenallee, der andere Teil, später fast alles, in der Bonner Zentrale. Die Redaktion bat ihre Leser – die sich dabei allerdings an konspirative Regeln halten sollten – auch um Zuschriften und Anregungen. Schon die erste Ausgabe vom Juli 1953 enthielt auf Seite vier den Spitzelwarndienst, den die Berliner Ostbüro-Zweigstelle „oberhaus" mit den folgenden Ausgaben noch ausbaute.

Eher sachlich setzte sich das Ostbüro in der *Einheit* mit dem SED-Regime auseinander[50]. Von 1954 bis 1959 erschien die Zeitschrift mehr als fünfzigmal, als ostdeutsches Blatt getarnt, und zwar immer mit der Bezeichnung „Sonderausgabe"[51]. Die Kopfzeile trug dagegen so gut wie immer den offenen Vermerk, die Zeitschrift werde „Herausgegeben vom Ostbüro der Sozialdemokratischen Partei Deutschlands, Bonn", und nur in Einzelfällen vertrieb das Ostbüro die *Einheit* in Tarnumschlägen[52]. Bei einer Auflage von etwa 10 000 Exemplaren pro

---

[46] Vgl. Hurwitz, Demokratie und Antikommunismus, Bd. 3, S. 128.

[47] Vgl. Sozialdemokrat Nr. 8/57, S. 1.

[48] Vgl. Monatsbericht über die Sonderaktionen in der Sowjetischen Besatzungszone, Juli 1953, S. 8.

[49] PATh, ungeordnet, Manuskript für den Parteivorstand.

[50] Vgl. z. B. die Aufsätze: Das KPD-Verbot; Wo steht Ihr?, Meister der Kultur; die einzelnen Ausgaben der Einheit sind nicht datiert.

[51] PATh, Bd. 1951, Ernst Böse, Marx kontra Stalin, Hamburg.

[52] Vgl. Einheit, Von St. Petersburg bis Budapest. Diese Schrift von Anatole Shub erschien 1957 unter dem Titel „Zwischen Kairo und Budapest".

Ausgabe enthielt sie neben aktuellem Material auch Texte, die das Ostbüro schon lange zuvor in Broschürenform im anderen Teil Deutschlands verbreitet hatte[53]. Die *Einheit* richtete sich ihrem Selbstverständnis nach weniger an den gewöhnlichen DDR-Bürger, als vielmehr an „Funktionäre und Mitglieder der SED"[54]. Wie die Leser des *Sozialdemokrat* wurden auch die der *Einheit* aufgefordert, sich unter Einhaltung konspirativer Regeln zum Inhalt der Zeitschrift sowie zu den Zuständen in der DDR zu äußern. Gelegentlich stammten Artikel auch von einem „Freund, der noch in der Sowjetzone lebt"[55]; andere trugen den Hinweis, „einige SED-Mitglieder" hätten sie „mit der Bitte um Veröffentlichung übergeben"[56].

Schon Ende 1946 hatte man sich im Ostbüro Gedanken über eine theoretische Auseinandersetzung mit der SED gemacht. In einem Brief an den damaligen Ostbüro-Chef Sigi Neumann hatte Fritz Heine angeregt: „1. Wie wäre es mit einer Wiederauflage [von] Rosa Luxemburgs Kritik der russischen Revolution? 2. Wer kann Lenins Schriften durchsehen nach geeignetem Material für unsere Politik [. . .]. 3. Wer kann Artikel schreiben, Rosa Luxemburg und Komintern bzw. KPD? 4. Wir sollten eine Darstellung machen über KP und Arbeiterregierung. Stellung vor und nach dem Kapp-Putsch. 5. Artikel oder Darstellung über in Rußland geschulte Kriegsgefangene."[57] Die Idee, sich in kritischer Form auch theoretisch mit dem stalinistisch geprägten Kommunismus zu beschäftigen, war also nicht neu. Neu war aber, daß das Ostbüro entsprechende Artikel nun nicht mehr auf Flugblättern verbreitete, sondern im Rahmen der speziell zu diesem Zweck geschaffenen Publikationsreihe *Einheit*.

Daneben gab das Ostbüro als weitere theoretische Schrift die *SED-Opposition* heraus. Auf schlechtem Papier gedruckt und ihre tatsächlichen Auftraggeber verleugnend, sollte diese Publikation den Eindruck erwecken, sie sei illegal in der DDR hergestellt worden. Die Autoren gaben sich als aufrechte DDR-Bürger heraus, die nur inhaltlich am Sozialismus ostdeutscher Spielart einiges auszusetzen hatten. Aus diesem Grunde machten sie Verbesserungsvorschläge, sprachen ihre Leser jedoch als „Genossinnen und Genossen" an und verzichteten auf Begriffe wie „Sowjetzone" und „SBZ". Die DDR blieb von den im Westen üblichen Anführungszeichen verschont, und zumindest die beiden Hefte über die „Ulbricht-Legende" verfaßte mit dem „Vertrauensmann 519" wirklich ein Bürger der DDR[58].

Ende 1953, zum 35. Jahrestag des Kieler Matrosenaufstandes von 1918, erschien die erste Ausgabe der *SED-Opposition*. So wie dieses erste, rechneten auch die folgenden Hefte mit dem Traditionsverständnis der SED ab: „Im

---

[53] PATh, Bd. 1951, Ernst Böse, Marx kontra Stalin, Hamburg.
[54] Vgl. Einheit, Die Marxismus-Diskussion in Polen.
[55] Vgl. Einheit, Gibt es in der Sowjetzone sozialistische Errungenschaften?
[56] Vgl. Einheit, Zum KPD-Verbot.
[57] AdsD, Depositum Fritz Heine, Bd. 8, Brief von Heine an Neumann, o. Dat.
[58] PATh, Bd. 11/12 1956, Manuskripte.

Namen von Willi Münzenberg, Clara Zetkin [. . .] und der vielen anderen durch die sowjetische Geheimpolizei hingerichteten früheren ZK-Mitglieder der KPD sprechen wir den Moskau-Agenten Pieck und Ulbricht das Recht ab, sich auf die Tradition des Spartakusbundes und der von Karl Liebknecht und Rosa Luxemburg zu berufen. [. . .] Wir oppositionellen Kommunisten halten die Tradition hoch, die durch den Spartakusbund und die unter Führung von Rosa Luxemburg stehende KPD vor 35 Jahren begründet wurde."[59]

Die *SED-Opposition* beteiligte sich auch an der Diskussion um ein neues Parteistatut der SED. So konzipierten die Autoren Gegenentwürfe, die sie in der Ausgabe von Mitte 1954 publizierten und die neben geheimen Abstimmungen auch Regelungen vorsahen, die das Zentralkomitee schwächen und den Parteitag stärken sollten. Sogar zur Staffelung der Mitgliedsbeiträge entwickelten sie eigene Vorschläge[60]. Die ersten Ausgaben der *SED-Opposition* hatten einen Umfang von vier bis sechs Seiten, der später auf bis zu 24 Seiten erhöht wurde. Hatte man auf dem Manuskript der zweiten Ausgabe auch als Auflagenhöhe 50 000 Exemplare vermerkt, so scheint dies wohl eher die Ausnahme gewesen zu sein. Schließlich mußte der Großteil aller Exemplare von Ostbüro-Mitarbeitern persönlich in den Osten transportiert und dort mit der Post verschickt werden, um gezielt SED-Mitglieder ansprechen zu können.

Natürlich blieb, wie bei den meisten Erzeugnissen schwarzer Propaganda, auch im Falle der *SED-Opposition* der wahre Verfasser nicht unbekannt. Die SED revanchierte sich deshalb schon bald mit gefälschten Flugblättern, die sie in unterfrankierten Briefen an West-Berliner SPD-Mitglieder sandte. 1956 verfaßte der SED-Apparat dann als angebliche „SPD-Opposition" ein anonymes Schreiben, das später auch in der DDR veröffentlicht wurde.

Das Ostbüro der SPD gab freilich nicht nur für die DDR bestimmte Publikationen heraus. Seit Ende 1953 stellte es zum Beispiel regelmäßig einen für die Mitglieder des SPD-Parteivorstandes bestimmten „Monatsbericht über die Entwicklung in der Sowjetzone" zusammen; er enthielt redaktionell überarbeitete Informationen der Vertrauensleute in der DDR sowie entsprechende Presseartikel, die die Ostbüro-Mitarbeiter bei ihrer umfangreichen Zeitungs- und Zeitschriftenauswertung gesammelt hatten. Mit den Jahren nahm die Zahl der Empfänger stetig zu, und bald verschickte das Ostbüro den „Monatsbericht" in einer Auflage von 350 bis 400 Exemplaren an Abgeordnete, Ministerien und andere öffentliche Institutionen, Botschaften, Journalisten, politische Stiftungen und Einzelinteressenten. Man hoffte, in dieser Form die vorhandenen Informationen besser „umsetzen und ein wenig gezielter verbreiten" zu können als mit den üblichen Pressemitteilungen und dem daraus zusammengestellten „Ostspiegel"[61].

[59] AdsD, Ostbüro-Archiv, Bd. 0330 I, Manuskript.
[60] Ebenda; Bärwald im Interview vom 17. 5. 1988, S. 2; dort auch die folgenden Angaben, S. 1.
[61] Bärwald im Interview vom 23. 11. 1988, S. 1.

Die Monatsberichte enthielten Artikel, die sich mit dem gesamten gesell-
schaftlichen Leben in der DDR beschäftigten; regelmäßig wurden dort auch
Berichte aus ostdeutschen Zeitungen abgedruckt, die „die verbrecherische
Tätigkeit des Ostbüros" untersuchten. Rudolf Brandt, freier Mitarbeiter des
Ostbüros und zuvor einige Jahre lang Chefredakteur der Ost-Berliner Zeitung
Die Wirtschaft, schrieb die Texte und stellte die einzelnen Beiträge zusammen.
Er hatte selbst aus der DDR flüchten müssen, nachdem er zum Ostbüro Kon-
takt aufgenommen hatte. Meist waren die Monatsberichte etwa 80 Seiten stark,
gelegentlich auch umfangreicher. Mit der Doppelausgabe September/Okto-
ber 1957 nahm die Heftstärke dann allerdings kontinuierlich ab. So hatte der
„Monatsbericht" im September 1958 nur noch 28 Seiten.

Ab März 1954 gab das Ostbüro als weitere Publikation die „Monatsberichte
über die Entwicklung in der Sowjetunion" heraus, die fast ausschließlich aus
kommentierten Zeitungsberichten bestanden und zudem eine Chronik der
wichtigsten innersowjetischen Ereignisse enthielten. In dieser Schriftenreihe, die
aus dem eigentlichen Aufgabengebiet des Ostbüros ja etwas herausfiel, wollte
man untersuchen, inwiefern sich die Entwicklungen in der DDR und in der
Sowjetunion gegenseitig bedingten und beeinflußten, denn schließlich stand
„vieles, was in der DDR vor sich geht, [. . .] ohne die Sowjetunion auf einem
Bein"[62]. Die Berichte für diese Schriftenreihe verfaßte zunächst Boris Lewitzky,
später der Exilrusse Leonid Olschwang, der als freier Mitarbeiter beim SPD-
Parteivorstand in Bonn beschäftigt war. Tatsächlich übten beide in ihren Beiträgen keine Kritik am sowjetischen System, sondern bemühten sich um sachliche
Information. An diese Linie hielt sich das Ostbüro auch in seiner offiziellen
Korrespondenz mit sowjetischen Stellen[63]. Die „Monatsberichte über die Entwicklung in der Sowjetunion" hatten eine Auflage von etwa 200 Exemplaren
und wurden an einen ähnlichen Verteilerkreis abgegeben wie die Berichte über
die Entwicklung in der „Zone".

Da Ostbüro-Chef Stephan Thomas großes persönliches Interesse an den Vorgängen in Polen hatte – seine Eltern stammten aus dem deutsch-polnischen
Grenzraum –, stellte die Berliner Zweigstelle ab Juli 1955 auch regelmäßig
erscheinende Hefte über die Situation in Polen zusammen. Dafür wertete der
beim Berliner Ostbüro als freier Mitarbeiter beschäftigte Exilpole Mieczyslaw
Zarzacki polnische Zeitungen aus[64]. Von diesem Pressespiegel profitierten
besonders auch die Ostinstitute oder Slawistikabteilungen der bundesdeutschen
Universitäten, ansonsten entsprach der Empfängerkreis dem der Berichte über
die Sowjetunion. Zwischen August 1956 und Januar 1957 veröffentlichte das
Ostbüro mit den „Monatsberichten über die Entwicklung in den europäischen
Ländern der Volksdemokratie" einen weiteren leicht kommentierten Pressespie-

[62] Bärwald im Interview vom 17. 5. 1988, S. 2.
[63] AdsD, Ostbüro-Archiv, Bd. 0337 III, Brief von Thomas an Saslowski vom April 1957.
[64] AdsD, Ostbüro-Archiv, Bd. 0390 I, Brief von Thomas an Zarzacki vom 7. 12. 1960.

gel. Er enthielt die Ergebnisse der Analyse polnischer, tschechoslowakischer und ungarischer Zeitungen und ist mit den Berichten über Polen und die Sowjetunion – auch hinsichtlich der Adressaten – vergleichbar[65].

Da das Ostbüro ab Mitte 1953 immer mehr Informations- und Propagandamaterial herstellte, mußte es sich neuer Methoden bedienen, um diese Mengen an Papier unauffällig in den Osten zu befördern. 1953/54 begann man deshalb mit dem Einsatz von Wetterballons aus Naturlatex, die mit Wasserstoff gefüllt wurden. Heinz Edel alias „Hermann", ein in Hannover ansässiger Mitarbeiter des Ostbüros, lud Ballons, Gasflaschen und Flugblätter in einen VW-Bus, brachte sie zur innerdeutschen Grenze und ließ die unkonventionellen Luftpostsendungen dort in den Himmel steigen. Berichten in der ostdeutschen Presse zufolge lagerte „Hermann" seine Gasflaschen in der Nähe Helmstedts[66]. Fotos der Gaststätte, die sich dort befand, erschienen ebenso in DDR-Zeitungen wie Aufnahmen aufgeschichteter Gasflaschen[67]. Und selbst das *Neue Deutschland* informierte seine Leser über die „Ballonaktionen" des Ostbüros. Dabei würden „häufig gleichzeitig Hunderte von Kleinballons im Durchmesser von bis zu fünf Metern und in anderen Fällen Großballons von über 20 Metern Durchmesser [Wetterballons] gestartet"[68]. Auch von Berlin aus ließen Ostbüro-Mitarbeiter Ballons steigen, wie der „Bericht über die Sonderaktionen" vom Juni 1953 vermerkt: „Die von uns gestarteten Ballons konnten von uns lange Zeit verfolgt werden und wir konnten auch sehen, wie die Ballons die Flugblätter ausschütteten und selbst explodierten."[69] Bei Nordwind konnten die Ballons auch von Dänemark aus losgeschickt werden, um dann über Mecklenburg ihre Fracht abzuwerfen. Diese Route konnte jedoch erst genutzt werden, als das Papier nicht mehr rationiert war. Die Absender mußten nämlich anfangs einkalkulieren, daß bis zu 90 Prozent aller Flugblätter im dänischen Teil der Ostsee niedergingen[70] oder über Polen oder der Tschechoslowakei vom Himmel fielen. Mit der Zeit gelang es Mitarbeitern des Ostbüros jedoch, die von den Amerikanern gefertigten Abwurfvorrichtungen für die Ballons[71] immer mehr zu verfeinern. So konnte man schließlich bei einer Kundgebung Grotewohls in Magdeburg Flugblätter auf die Teilnehmer herunterregnen lassen[72].

Von der Methode, die eigenen Publikationen per Kurier in den Ostteil

[65] Bärwald im Interview vom 17. 5. 1988, S. 7.

[66] Volksstimme Magdeburg vom 7. 7. 1959, S. 3.

[67] Junge Welt vom 7. 7. 1959, S. 3.

[68] Neues Deutschland vom 11. 6. 1966, S. 2.

[69] Monatsbericht über die Sonderaktionen in der Sowjetischen Besatzungszone, Juni 1953, Anlage II/26.

[70] Vgl. Ekstrabladet, Kopenhagen, vom 17. 6. 1953.

[71] AdsD, PV-Protokolle, Bd. 1955, Stichwortmanuskript von Heine für die PV-Sitzung vom 29./30. 4. 1955.

[72] Bandaufzeichnung des Seminars zum 75. Geburtstag von Stephan Thomas, Tutzing, Frühjahr 1987, Vortrag Thomas, Bd. 13, S. 6, im Besitz des Autors.

Deutschlands zu transportieren, war das Ostbüro unter Stephan Thomas inzwischen weitgehend abgekommen. Man wollte die dortigen Mitarbeiter nicht länger gefährden[73]. Überdies konnten die Ostbüro-Schriften in den Wochen nach dem 17. Juni 1953 tatsächlich nur noch mit dem Ballon in den Osten geschmuggelt werden, denn, so Stephan Thomas: „Die Absperrungsmaßnahmen der Besatzungsmacht, der Vopo und des SSD müsen als effektiv bezeichnet werden. Es ist zur Zeit nur unter größten Erschwerungen und erheblicher Gefährdung der eigenen Sicherheit möglich, den Absperrungsgürtel zu durchbrechen. Unser Material können wir zur Zeit nur durch Ballonaktionen in die Zone bringen."[74] Von etwa zehn „Ballonbasen" aus schickte das Ostbüro seine Flugschriften in den anderen Teil Deutschlands[75]. Dabei handelte es sich um hunderte, gelegentlich auch tausende Kilogramm Papier pro Monat. Ausgewählten Mitgliedern des Parteivorstandes erteilte das Ostbüro Auskunft darüber, wie viele und welche Schriften versandt wurden. In seinem Bericht vom Juli 1953 teilte Stephan Thomas dem Parteivorstand dann zufrieden mit: „Die Abwurfvorrichtung wurde verbessert; zur einfacheren Handhabung sind Diagramme angefertigt worden, die wir in einem der nächsten Berichte beilegen. Wir haben [mit der] Verbesserung der Zielgenauigkeit einen Wissenschaftler betraut, der uns genaue Berechnungen und Annäherungswerte erstellt. Unter Zuhilfenahme meteorologischer Strömungskarten wird es in naher Zukunft möglich sein, die Ballons in die gewünschten Zielgebiete mit ziemlicher Genauigkeit zu transportieren."[76]

Zusammenarbeit mit dem Gesamtdeutschen Ministerium

Die SPD lehnte den Aufbau eines Bundesministeriums für Gesamtdeutsche Aufgaben (BMG) bis 1951 entschieden ab. Herbert Wehner, der später selbst einmal Chef dieses Ministeriums werden sollte, nannte es gar eine Fehlkonstruktion[77]. Dennoch entwickelte Franz Thedieck, bis 1963 beamteter Staatssekretär und graue Eminenz des Ministeriums, ein gutes Verhältnis zu Stephan Thomas, mit dem er „Fragen der Ostpolitik [. . .] und damit auch Fragen der grundsätzlichen Arbeit des Ostbüros" besprach[78]. Als ehemalige Widerstandskämpfer gegen das NS-Regime (Thedieck hatte sich dem Kreisauer Kreis angeschlossen, während Thomas in einer sozialistischen Berliner Gruppe aktiv gewesen war) wußten sich die beiden einig in ihrer Abneigung gegenüber rechten wie linken Diktaturen. Auch in bezug auf die DDR vertraten Thedieck und Thomas die gleichen

---

[73] Ebenda, S. 5.
[74] Monatsbericht über die Sonderaktionen in der Sowjetischen Besatzungszone, Juli 1953, S. 6.
[75] Bandaufzeichnung, Seminar Tutzing, Bd. 13, S. 7
[76] Monatsbericht über die Sonderaktionen in der Sowjetischen Besatzungszone, Juli 1953, S. 7.
[77] Vgl. Rüss, Anatomie, S. 15.
[78] Brief von Thedieck an den Verf. vom 5. 6. 1988.

Ansichten, sie verband eine Art „Konsens des Kalten Krieges". Beide lehnten das mitteldeutsche „Gebilde" und jegliche politischen Kontakte dorthin strikt ab und wollten statt dessen lieber freie gesamtdeutsche Wahlen abwarten[79].

Folgt man der DDR-Geschichtsschreibung, so gab es im „Dunkel der Subversion" eine Zusammenarbeit der „Ostbüros der staatstragenden Parteien" mit dem Gesamtdeutschen Ministerium[80]. Zwar spricht Teller davon, das Ostbüro habe das Ministerium mit Informationen versorgt, doch in Wirklichkeit fand hier ein Austausch von Meinungen und Erkenntnissen statt. Beispielsweise erhielt das Ostbüro vom Gesamtdeutschen Ministerium im September 1952 einen Bericht über die Westkommission der SED[81]. Allerdings endete diese Zusammenarbeit dort, wo die bundesdeutsche Innenpolitik berührt wurde. So lehnte Fritz Heine es ab, Plakate des Ministeriums gegen die Volkskammerwahl von 1950 in der Bundesrepublik von SPD-Dienststellen verteilen zu lassen. Andererseits zeigte er sich „interessiert, vom Ministerium möglichst umfangreiches, sachkundiges Quellenmaterial über die Vorgänge in der sowjetisch besetzten Zone zu erhalten"[82].

Wichtiger als die Informationen war für das Ostbüro jedoch das vom Ministerium für Gesamtdeutsche Aufgaben für die eigene Arbeit zur Verfügung gestellte Geld. Diese finanzielle Unterstützung nutzten SED und offizielle Stellen der DDR in ihrer Propaganda gegen das Ostbüro[83]. Mehrfach hieß es, das Ministerium habe dem Ostbüro „fünf- und sechsstellige Summen" überwiesen. Die DDR-Zeitung *Märkische Volksstimme* wußte einmal zu berichten, am 19. Juni 1956 habe das Ostbüro dank ministerieller Finanzspritze „13 495,– DM unter der Rubrik Einnahmen verbucht"[84]. Die Summe mag zutreffen, doch das Geld erhielt der Parteivorstand der SPD. Dem Ostbüro stand nur eine kleine Kasse zur Verfügung, aus der es gelegentlich entlassene DDR-Häftlinge unterstützte. Sicher ist, daß die vielen Veröffentlichungen des Ostbüros ohne die finanzielle Hilfe des Gesamtdeutschen Ministeriums auf Dauer nicht hätten gedruckt und verbreitet werden können. In den ersten Jahren hatte man sie noch aus der SPD-Parteikasse und durch Spenden von parteieigenen Druckereien und befreundeten Verlegern finanziert. Dann aber erhielt der Parteivorstand der SPD jährlich mehrere hunderttausend Mark an Zuschüssen vom Gesamtdeutschen Ministerium, die für die Ostarbeit der Partei zweckgebunden waren. Diese Mittel flossen bis weit in die siebziger Jahre und wurden im Ministerium unter dem Haushaltstitel „Gesamtdeutsche Arbeit" abgerechnet[85].

Neben dem Ostbüro der SPD unterstützte das BMG mit ähnlichen Summen

---

[79] Vgl. Schwarz, Gründerjahre, S. 75 f.

[80] Teller, Der kalte Krieg, S. 301; dort auch die folgende Behauptung Tellers, S. 309.

[81] AdsD, Ostbüro-Archiv, Bd. 0302 A, Bericht vom September 1952.

[82] AdsD, SPD-Bundestagsfraktion, Büro Wehner, Brief von Heine an das BMG vom 17. 10. 1950.

[83] Vgl. Neues Deutschland vom 31. 1. 1957, S. 2.

[84] Märkische Volksstimme vom 20. 3. 1957, S. 6.

[85] Bärwald im Interview vom 17. 5. 1988, S. 3.

auch die Ostbüros der anderen Parteien sowie beispielsweise den Untersuchungsausschuß freiheitlicher Juristen, das Informationsbüro West und die
Kampfgruppe gegen Unmenschlichkeit (KgU). Letztere erhielt allerdings seit
Februar 1951 kein Geld mehr – unter anderem deshalb, weil sie sich weigerte,
ihre Gesamtfinanzierung offenzulegen[86] (vermutlich deshalb, weil sie ihre Verbindungen zu amerikanischen Finanziers nicht publik machen durfte). Letzteres
dürfte auch ein Indiz dafür sein, daß das Ostbüro – da vergleichbare Schwierigkeiten ausblieben – keine Mittel aus alliierten Quellen erhielt.

Die Gelder des Ministeriums mußte das Ostbüro nicht ausschließlich zur
Information der DDR-Bevölkerung nutzen; es konnte damit auch Informatio-
nen über die Verhältnisse in Ostdeutschland für die Menschen in der Bundesre-
publik bereitstellen, wie zum Beispiel die zahlreichen Monatsberichte[87]. Nach
Auskunft Hermann Kreutzers, des ab 1966 im Ministerium für die Vergabe der
Mittel zuständigen Abteilungsleiters, erhielten die Ostbüros von SPD und CDU
nach 1956 jährlich jeweils etwa 300 000 Mark an Zuschüssen; das Ostbüro der
FDP bekam etwas weniger[88]. Der jeweilige Betrag wurde pauschal und ohne
Abrechnungsnachweise ausbezahlt[89], was faktisch zu einer zumindest teilweisen
Übernahme von Personal- und Bürokosten durch das Ministerium führte.

Statt des eigentlich zuständigen Haushaltausschusses des Bundestages ent-
schied über die weitere Vergabe von Bundesmitteln an das Ostbüro ein Fünfer-
ausschuß[90], denn entsprechende Fragen wurden zu dieser Zeit als Geheimsache
behandelt. Je zwei Abgeordnete von CDU und SPD sowie ein Abgeordneter
der FDP kontrollierten den entsprechenden „Reptilienfond". Bis zu einer gewissen Höhe konnte der für diesen Haushaltsposten zuständige Referatsleiter im
Gesamtdeutschen Ministerium, Freiherr von Dellingshausen, allerdings auch
selbst entscheiden, wer Geld aus Bundesmitteln erhielt[91].

Auch die schon erwähnten Paketaktionen des Ostbüros, die die SPD
zunächst vollständig selbst finanzierte, wurden in den fünfziger und sechziger
Jahren vom Gesamtdeutschen Ministerium finanziell gefördert[92]. Die Gelder
gingen allerdings direkt an humanitäre Organisationen wie die Arbeiterwohlfahrt oder das Rote Kreuz, die dann mit Adressenlisten des Ostbüros den Versand von Päckchen an in der DDR inhaftierte Sozialdemokraten und ihre
Familien organisierten.

[86] Merz, Kalter Krieg, S. 150.
[87] Bärwald im Interview vom 17. 5. 1988, S. 4.
[88] Kreutzer im Interview vom 18. 2. 1988, S. 11.
[89] Brief von Freiherr von Dellingshausen an den Verf. vom 14. 6. 1988.
[90] Brief von Thedieck an den Verf. vom 5. 6. 1988.
[91] Brief von Freiherr von Dellingshausen vom 14. 6. 1988.
[92] Kreutzer im Interview vom 18. 2. 1988, S. 12.

V. Verlagerung und Behinderungen der Arbeit (1954–1958)

Der Repression im Zusammenhang mit dem 17. Juni 1953 folgte in der DDR eine Phase der Konsolidierung, in der die Freilassung von politischen Gefangenen möglich wurde, die sich – wie die meisten Zuarbeiter des Ostbüros – seit Ende der vierziger Jahre in Haft befanden. Freilich hatte das Ostbüro auch schon zuvor versucht, seine Vertrauensleute freizubekommen. Bereits im Oktober 1952 hatte Stephan Thomas einen „Amnestie-Vorschlag" erarbeitet, der sich auf 37 inhaftierte Ostbüro-Zuarbeiter bezog und daneben die Namen Gundlach, Busch und Kühne als „zur besonderen Entscheidung" anstehend anführte[1]. Wahrscheinlich war damit die Notwendigkeit einer Entscheidung des SPD-Parteivorstandes gemeint, ob man mit der Nennung dieser drei Namen offiziell zugeben sollte, daß diese Personen für das Ostbüro tätig gewesen waren. Ob Thomas' Liste je sowjetische oder ostdeutsche Stellen erreicht hat, ist nicht bekannt. Wenn das geschehen sein sollte, hatte sie jedenfalls keinen Einfluß auf die Haftumstände der Genannten, denn der weitere Haft- und Amnestieweg unterschied sich nicht von dem der anderen Häftlinge. So steht fest, daß einer der Genannten, Max Georgi aus Glauchau, noch nach der Zusammenstellung der Liste in der Haft umkam[2].

Nachgewiesen werden kann, daß Stephan Thomas versuchte, über befreundete europäische Sozialdemokraten die Freilassung der Inhaftierten zu erreichen. Es gab darüber Gespräche mit führenden Vertretern der britischen Labour Party wie Jenny Lee, Dennis Healey und John Hynd[3]. Die drei überreichten bei Besuchen von Labour-Delegierten in Ost-Berlin oder Moskau bzw. bei Besuchen sowjetischer Delegationen in London Listen mit den Namen inhaftierter Sozialdemokraten an ihre Gesprächspartner mit der Bitte um eine humanitäre Lösung. Der größte Teil der Sozialdemokraten kam gleichwohl durch allgemeine Amnestieverfügungen frei. Dabei wurden nie ganze SPD-Gruppen amnestiert, sondern immer nur einzelne Gruppenmitglieder willkürlich herausgegriffen.

Die erste Entlassungswelle gab es 1954 im Vorfeld der Berliner Viermächtekonferenz. Insgesamt kamen 1954/55 etwa 12 000 politische Häftlinge frei; die Zahl der entlassenen Sozialdemokraten darunter ist nicht bekannt. Doch ist sicher, daß keineswegs alle inhaftierten Genossen freigelassen wurden, weshalb

---

[1] PATh, ungeordnet, Amnestievorschlag vom 24. 10. 1952.
[2] Vgl. SPD Berlin-Dienst vom 31. 3. 1966, Anhang S. 1.
[3] Brief von Irene Thomas an den Verf. vom 11. 3. 1988.

man in der Berliner SPD und im Ostbüro auf Möglichkeiten sann, weitere Parteifreunde freizubekommen. Auf einer Pressekonferenz am 27. April 1956 sprach der Berliner SPD-Vorsitzende Franz Neumann von Hunderten von politischen Gefangenen, deren Namen allerdings nur auszugsweise genannt wurden. 50 Einzelschicksale wurden durch den RIAS auch der Bevölkerung in der DDR bekanntgemacht, einige Gefangene wurden daraufhin sofort entlassen. So führte Curt Eckhardt seine Entlassung auf diese Rundfunksendung zurück[4].

Gerade die Frage von offiziellen und inoffiziellen Kontakten der SPD mit SED-Stellen spielte bei der Suche nach Lösungen für die Freilassung eine große Rolle: Bereits am 14. Februar 1955 hatte es einen Brief der SED-Bezirksleitung Groß-Berlin an den SPD-Vorsitzenden Neumann gegeben, dessen Annahme wegen des klar erkennbaren Absenders bequem verweigert werden konnte. Grotewohl und Ulbricht ließen deshalb einen weiteren Brief, adressiert an den Bundesvorsitzenden der SPD, Erich Ollenhauer, in einem neutralen Couvert verschicken. Als Absender fungierte ein Otto Schön, der in kurzem Anschreiben mitteilte: „Ich habe den Auftrag bekommen, Ihnen den beigefügten Brief der Genossen Ulbricht und Grotewohl zu übersenden." Der Posteingangsstelle in der Bonner SPD-Zentrale war es somit nicht möglich, den Brief sogleich als „SED-Machwerk" zu retournieren; er erreichte seinen Empfänger.

Grotewohl und Ulbricht schlugen darin eine Verbesserung der Beziehungen zwischen den beiden „Arbeiterparteien" vor, verlangten aber auch die Einstellung der Arbeit des Ostbüros der SPD. Daneben kündigten sie an: „Auf Vorschlag des Zentralkomitees der SED hat der Ministerrat der DDR beschlossen, solche Personen, die sich gegen die Gesetze vergangen haben und für verschiedene Agentenzentralen tätig waren, und die angaben, Mitglied der SPD zu sein, dem Präsidenten der DDR zur Begnadigung zu empfehlen."[5] Die im Ostbüro verfaßte Antwort der SPD bestand in einer Presseerklärung des Parteivorstandes: „Die Tätigkeit des Ostbüros der SPD kann und wird erst dann enden, wenn in einem wiedervereinigten Deutschland auch die SPD in der heutigen Sowjetzone frei und legal tätig sein kann."[6] Damit war die Sache erledigt.

Eine Teilamnestie fand in der DDR dennoch statt, allerdings „auf Vorschlag der Justiz und Sicherheitsorgane"[7]. In der Begründung hieß es, die Begnadigten seien „wegen krimineller Verbrechen, die sie im Auftrag des mit den imperialistischen Spionagezentralen verbundenen Ostbüros der SPD gegen die Interessen der Werktätigen der DDR begangen hatten, zu Recht verurteilt" worden. Am 21. Juni 1956 meldete das *Neue Deutschland* den Abschluß der Aktion, bei der 19064 Gefangene begnadigt worden seien, davon 691 frühere oder derzeitige Mitglieder der SPD. Auch zu diesem Zeitpunkt befand sich jedoch ein

---

[4] AdsD, PV-Bestand, Bd. 01179, Brief von Eckhardt an Brandt vom 30. 10. 1963.
[5] AdsD, Ostbüro-Archiv, Bd. 0345 II.
[6] Ebenda, Presseerklärung vom 26. 4. 1956.
[7] FNA, Bd. IX b/12, Typoskript.

Großteil der Sozialdemokraten noch in Haft. Die SPD setzte weiterhin auf internationale Kontakte: Nachdem eine Labour-Delegation eine Liste des Berliner SPD-Landesverbandes mit den Namen von 206 politischen Häftlingen übergeben hatte (darunter 32 Sozialdemokraten), wurde ein Teil dieser Gefangenen freigelassen, darunter auch Dieter Rieke[8].

Damit schienen für 1956 alle Möglichkeiten der Begnadigung ausgeschöpft zu sein. Doch Franz Neumann entschloß sich, nach den guten Ergebnissen seiner Pressekonferenz vom Frühjahr, durch die öffentliche Bekanntgabe weiterer Namen die SED bzw. die DDR weiter unter Druck zu setzen. Seit dem 3. November 1956 veröffentlichte der SPD-Landesverband im Parteiorgan *Berliner Stimme* wöchentlich eine Liste mit den Personalien von 50 Gefangenen, die auch Angaben über die Höhe der Strafe und die mutmaßliche Haftanstalt enthielt. Unter den Genannten waren politische Häftlinge aller Strömungen, so auch beispielsweise der ehemalige Kassierer der Berliner FDP. Einen Großteil der Namen hatte das Ostbüro ermittelt, die anderen hatte die Berliner SPD gesammelt[9]. Die 55. und letzte Liste, diesmal mit 53 Namen, erschien Mitte November 1957 in der *Berliner Stimme.* Auch sie wurde, wie die Listen zuvor, Grotewohl und Ulbricht zugeschickt[10] und auszugsweise im Rundfunk und von weiteren Zeitungen veröffentlicht. Anfang November hatte das Ostbüro dem Berliner SPD-Landesverband mitgeteilt, daß mit dieser Liste vorläufig alle bekannten Namen veröffentlicht wären[11].

Ein Jahr nach dieser Aktion war freilich nur etwa ein Zehntel der genannten Häftlinge, etwa 280 Personen, freigelassen worden. 57 davon waren vor ihrer Verhaftung SPD-Mitglieder gewesen, was jedoch nicht bedeuten mußte, daß dies der Grund ihrer Verhaftung gewesen war[12]. Über die Zahl der freigelassenen Vertrauensleute liegen keine Zahlen vor. Das Ostbüro ermittelte Ende 1957 noch mehr als 250 Sozialdemokraten in DDR-Zuchthäusern[13]. Die letzten Vertrauensleute des Ostbüros – zum Teil Personen, die wie Helmut Hiller noch von sowjetischen Militärtribunalen 1948/49 verurteilt worden waren – kamen 1964 in die Bundesrepublik. Insgesamt wurden bis zum September 1964 rund 400 Häftlinge nach Freikauf abgeschoben, von denen nur einige wenige „echte V-Leute"[14] des Ostbüros gewesen waren. Unter diesen Personen waren manche, die, nach dem Mauerbau entlassen, vergeblich aus der DDR zu fliehen versucht hatten und deshalb erneut verhaftet und verurteilt worden waren. Die Lebensschicksale von Helmut Hiller und Richard Majunke stehen hierfür als Beispiel: Beide wurden nicht begnadigt, sondern saßen ihre zweite Strafe ab,

---

[8] Vgl. Berliner Stimme vom 16. 3. 1957, S. 1.

[9] AdsD, Ostbüro-Archiv, Bd. 0420 A II, Ostbüro Bonn, Brief an Willi Weber vom 6. 11. 1957.

[10] FNA, Bd. IX b/12, Typoskript vom 13. 3. 1957.

[11] AdsD, Ostbüro-Archiv, Bd. 0420 A II, Ostbüro Bonn, Brief an Willi Weber vom 6. 11. 1957.

[12] AdsD, SPD-Pressedienst Nr. 262 vom 15. 11. 1957.

[13] Vgl. Jahrbuch der SPD 1956/57, S. 116.

[14] AdsD, PV-Bestand, Bd. 01179, Brief von Nelke an Wehner vom 23. 9. 1964.

bevor sie durch Vermittlung der Rechtsanwälte Vogel und Stange in die Bundesrepublik freigekauft wurden. Genauere Zahlen zum Freikauf von Häftlingen sind (noch) nicht bekannt[15]. Es steht aber fest, daß die Bundesregierung für den Großteil der in den sechziger Jahren in den Westen entlassenen Häftlinge Kopfgelder zahlte; nur ein kleiner Teil kam im Austausch gegen DDR-Spione aus bundesdeutschen Gefängnissen frei. In einem Fall forderte die DDR für einen ehemaligen Mitarbeiter des Ostbüros 1,5 Millionen DM; der Betrag wurde dann auf 800 000 DM heruntergehandelt.

Die ehemaligen DDR-Häftlinge mußten nach ihrer Freilassung sozial abgesichert werden. Auch hierin sah das Ostbüro eine Aufgabe. Bereits 1955 wurde auf einer vom Ostbüro vorbereiteten Tagung ehemaliger DDR-Häftlinge das Thema Haftentschädigung angesprochen[16], und schon im Jahr zuvor hatte Stephan Thomas bei Herbert Wehner die materielle Unterstützung der Amnestierten vom Januar 1954 angeregt. Außerdem forderte er eine besondere Initiative der SPD-Fraktion im Bundestagsausschuß „Notaufnahme"[17]. Bereits 1953 hatte das Ostbüro die sozialdemokratischen Vorstellungen über ein Bundesnotaufnahmegesetz ausgearbeitet[18]. Seit September 1955 stand allen eintreffenden ehemaligen Häftlingen aus der SBZ/DDR aus einem 10-Millionen-Fond der Bundesregierung ein Zuschuß zur Hausratsbeschaffung zu. Nachdem bis Dezember 1955 noch keine entsprechenden Anträge vorlagen, stellte die Flüchtlingsbetreuungsstelle mittels Formbriefen Erkundigungen bei Berechtigten an[19]. Dabei stellte sich eine schleppende Abwicklung durch die Landesregierungen heraus. Über die SPD-Bundestagsfraktion versuchte Stephan Thomas, die zuständigen Behörden auf Trab zu bringen[20].

Andere Aktivitäten des Ostbüros auf administrativer Ebene waren Initiativen zur Durchsetzung des Häftlingshilfegesetzes im Deutschen Bundestag und Hilfestellung beispielsweise beim Streit mit der Stadt Bielefeld, die sich 1956/57 weigerte, weitere DDR-Flüchtlinge aufzunehmen[21]. Auch die Informationsarbeit zugunsten von Flüchtlingen wurde vom Ostbüro organisiert. Flugblätter wie „Was der Flüchtling unbedingt wissen muß" informierten die Neuankömmlinge. Noch wichtiger war die Zeitung *Der Flüchtling*, die seit Dezember 1953 monatlich erschien und größtenteils vom Bundesministerium für Gesamtdeutsche Aufgaben finanziert wurde. Seit Januar 1954 trug *Der Flüchtling* die Unterzeile „Für Wiedervereinigung in Frieden und Freiheit".

---

[15] Vgl. Finn, Politischer Strafvollzug, S. 121 ff.

[16] AdsD, SPD-Bundestagsfraktionsunterlagen, Büro Wehner Nr. 731–735, Brief von Gotthelf an Wehner vom 24. 1. 1955.

[17] PATh, Bd. 1954, Brief von Thomas an Wehner vom 22. 6. 1954.

[18] PATh, Bd. Jan.–Mai 1953, Entwurf o. Dat.

[19] AdsD, Ostbüro-Archiv, Bd. 0345 II.

[20] AdsD, SPD–Fraktionsunterlagen, Schriftverkehr Wehner Bd. 737, Brief von Thomas an Korspeter vom 10. 1. 1956.

[21] Ebenda, Brief von Thomas an Wehner vom 11. 12. 1956.

Grund für die Herausgabe der Zeitung war neben dem Flüchtlingsstrom in Zusammenhang mit dem 17. Juni 1953 das gute Abschneiden der Flüchtlingspartei BHE bei den Bundestagswahlen im gleichen Jahr. Der Block der Heimatvertriebenen und Entrechteten hatte im gesamten Bundesgebiet 5,9 Prozent erreicht, bei den Landtagswahlen in Schleswig-Holstein und in Niedersachsen gar 23,4 bzw. 14,9 Prozent. Ein weiterer Konkurrent war die größte Regierungspartei, wurde doch in den Flüchtlingslagern „offen für die CDU geworben"[22]; Heine sprach gar von „Schlägerkolonnen in Lagern gegen SPD-Versammlungen"[23], die gegen Barzahlung operierten. Mit dem *Flüchtling* versuchte das Ostbüro deshalb, systematisch politische Informationen in die Lager zu bringen. *Der Flüchtling* bot neben aktueller Politik hauptsächlich Lebenshilfe für die Neuankömmlinge, etwa Informationen über Ratenzahlungen, Abzahlungsgeschäfte, über das Notaufnahmeverfahren, zu Ausbildungsbeihilfen und zur Familienzusammenführung. Daneben gab es viel Sport, allgemeine politische Aufklärung („Wie funktioniert der Bundestag?") und Unterhaltung. Unverhüllte Aufforderungen, die SPD zu wählen, waren selten[24]. Lag der Umfang der Zeitung anfangs bei vier Seiten, so konnte die Seitenzahl bis Juni 1958 auf 14 gesteigert werden. Die Auflage betrug etwa 30 000 Exemplare pro Ausgabe[25].

Kontakte zur Gruppe um Wolfgang Harich

Im Zuge der Abrechnung Chruschtschows mit Stalin auf dem XX. Parteitag der KPdSU und der beginnenden Entstalinisierung in Polen 1956 wurde auch in der DDR, vor allem in intellektuellen Zirkeln, über eine Reform des politischen Systems nachgedacht. Besonders bekannt wurde die Gruppe um Wolfgang Harich und Walter Janka, deren Überlegungen in der westdeutschen Öffentlichkeit durch das Ostbüro verbreitet wurden. Harich, 1923 in Königsberg geboren, arbeitete nach 1945 zunächst als Journalist und wurde 1949 Professor für Gesellschaftswissenschaften und Geschichte der Philosophie in Berlin. Seit den Ereignissen des 17. Juni 1953 nahm Harich eine kritische Position gegenüber Ulbricht ein und stieß damit zu einem Kreis von Gesellschaftswissenschaftlern, zu dem auch Ernst Bloch und Robert Havemann zählten[26]. Walter Janka, 1914 in Chemnitz geboren, war 1933 Leiter der kommunistischen Jugendverbände im Erzgebirge. Nach einer kurzen Inhaftierung emigrierte er, kämpfte in Spanien und ging später ins Exil nach Frankreich und Mexiko. Ab 1951 arbeitete er im Aufbau-Verlag, dessen Leiter er später wurde.

[22] AdsD, Ostbüro-Archiv, Bd. 0479 l, Brief von Dietze an Thomas vom 14. 11. 1950.
[23] AdsD, PV-Protokolle, Bd. 1955, Manuskript von Heine für die PV-Sitzung vom 29./30. 4. 1955.
[24] Vgl. Der Flüchtling vom November/Dezember 1958, S. 3.
[25] Bärwald im Interview vom 17. 5. 1988, S. 2.
[26] Vgl. Einheit-Sonderausgabe: Historische Entscheidung für eine freiheitliche Entwicklung in ganz Deutschland, S. 7 f.

1957 wurden die Mitglieder der Gruppe um Harich und Janka als „Revisionisten" festgenommen und zu Haftstrafen bis zu zehn Jahren verurteilt. Eine große Rolle spielte bei den beiden separaten Verfahren der Kontakt zum Ostbüro der SPD, das immer schon versucht hatte, Kontakt zu SED-Mitgliedern zu bekommen, um diese ideologisch zu beeinflussen. Zumindest zum Teil scheinen solche Versuche auch erfolgreich gewesen zu sein. Bereits auf dem Bundesparteitag der SPD vom 10. bis 14. Juli 1956 in München hatte Vorstandsmitglied Fritz Heine in seinem Rechenschaftsbericht festgestellt, es gebe „innerhalb der SED eine Reihe von Oppositonsgruppen, deren ideologische Grundlagen vom demokratischen Sozialismus beeinflußt sind. Einige dieser Gruppen haben Verbindung mit uns aufgenommen"[27]. Es erscheint jedoch wenig wahrscheinlich, daß zu diesem Zeitpunkt bereits Wolfgang Harich, Walter Janka oder andere der später in der DDR Angeklagten Kontakt zur SPD hatten.

Harich wollte seine Auffassungen von einem demokratischen Sozialismus auch mit Hilfe der SPD durchsetzen. So kam das Urteil gegen ihn zu dem Schluß, er habe am 1. November 1956 erstmals den stellvertretenden Landesvorsitzenden der West-Berliner SPD, Josef Braun, in West-Berlin aufgesucht[28], dreieinhalb Monate nach dem SPD-Parteitag. Heine kann ihn daher nicht gemeint haben. Allerdings betonte Stephan Thomas, man habe Harich schon vorher Schriften zugeleitet[29]. Das Gericht stellte außerdem fest, Harich sei unbeabsichtigt mit zwei Vertretern des Ostbüros, „Weber" und „Siegfried"[30], zusammengetroffen, als er eigentlich mit „sozialdemokratischen Theoretikern" sprechen wollte. Wahrscheinlich handelte es sich um den Leiter des Büros in Berlin, Weber alias „Wandel", und um Dr. Pritzel.

Eberhard Zachmann, wichtiger Mitarbeiter des Ostbüros und später Leiter der Berliner Zweigstelle, bestätigte 1988, ein Mitarbeiter des Ostbüros habe Kontakt zu Harich gehabt. Er sprach davon, daß Harich vom Berliner Landesverband an das Ostbüro verwiesen worden sei[31]. Stephan Thomas sprach von drei Personen, die mit ihm Kontakt gehabt hätten[32]; ein ehemaliger Mitarbeiter des Berliner Büros sagte, „die direkten Kontakte der Harich-Gruppe gingen seinerzeit zu Thomas"[33]. Das Urteil gegen Harich erwähnt allerdings keine Kontakte zum Leiter des Bonner Ostbüros. Offenbar hielt man es für zu gefährlich zuzugeben, daß sich ein vergleichsweise bekannter Funktionär an den Leiter dieser verhaßten Institution gewandt hatte.

---

[27] Grebing, Der Revisionismus, S. 161 ff.
[28] Vgl. Die staatsfeindliche Tätigkeit der Harich-Gruppe, in: Neue Justiz 11 (1957), S. 166.
[29] Tonbandabschrift Seminar Tutzing zum 75. Geburtstag von Stephan Thomas, Bd. 14, S. 8, im Besitz des Verf.
[30] Vgl. Die staatsfeindliche Tätigkeit, S. 167; vgl. Volksstimme Magdeburg vom 20. 3. 1957, S. 4.
[31] Zachmann im Interview vom 24. 2. 1988, S. 16.
[32] Thomas im Interview vom 1. 7. 1986, S. 4.
[33] B. im Interview vom 19. 11. 1988, S. 3.

Das Ostbüro versuchte, Harichs Tatendrang zu dämpfen. So riet man ihm von einer sofortigen Ansprache über westdeutsche Sender ab und ersuchte ihn, seine Gedanken erst einmal schriftlich auszuarbeiten. Dazu kam es allerdings bis Mitte November nicht, und den weitergehenden Vorschlag, seine Konzeption „durch das Ostbüro in der DDR verbreiten zu lassen"[34], lehnte Harich ab. Ab dem 22. November brachte Harich zusammen mit Janka und dem Chefredakteur der Wochenzeitung *Sonntag*, Gustav Just, seine Auffassungen zu Papier[35] und übergab dieses am 25. November einem späteren Mitangeklagten mit der Bitte, es „stilistisch und im ökonomischen Teil auch inhaltlich zu überarbeiten bzw. zu ergänzen"[36]. Dies scheint vom nächsten Tag an im Aufbau-Verlag zwar geplant, aber nicht geschehen zu sein. Janka behauptet allerdings, er habe bis zu seiner Verhaftung keine Konzeption gelesen[37]. Harich hielt sich seit 26. November in Hamburg zu Gesprächen mit Pressevertretern auf, so auch mit Rudolf Augstein vom *Spiegel*[38]. Bei seiner Rückkehr wurden er und seine politischen Freunde verhaftet.

Noch im Dezember 1956 veröffentlichte das Ostbüro ein „Plattform" genanntes Konzept als angeblich authentischen, von Harich kurz vor seiner Verhaftung der Berliner Ostbüro-Zweigstelle übergebenen Beitrag in einer Sonderausgabe der *Einheit*[39]. Auch bundesdeutsche Zeitungen druckten das Dokument nach[40]. Liegt die genaue Herkunft des Textes der „Plattform" auch im Dunkeln, so schien sie in Diktion und Inhalt durchaus der Überzeugung Harichs zu entsprechen. Die Argumentation entsprach jedoch auch der schon erwähnten Schriftenreihe „SED-Opposition" des Ostbüros[41]. Neben der „Plattform" veröffentlichte das Ostbüro im März 1957 ein angebliches Schlußwort Harichs vor Gericht, in dem er nichts bereute und sich zu seiner konspirativen Zusammenarbeit mit dem Ostbüro der SPD bekannte[42]. Offizielle Stellen in der DDR bezeichneten das von der SPD international verbreitete „Dokument" sofort als Fälschung und ließen zum Beweis ein viereinhalb Minuten langes Statement Harichs am 28. März 1957 im DDR-Rundfunk als „authentisches Schlußwort" senden; die ostdeutschen Zeitungen druckten es nach[43]. Das Ostbüro blieb gleichwohl bei seiner Version und verwies auf mehrere Ungereimtheiten in der Bandaufnahme. In einer Rundfunkrede im SFB ging Stephan Thomas am 22. März 1957 auf den Prozeß ein. Er stellte fest, daß „neben Harich als

---

[34] Die staatsfeindliche Tätigkeit, S. 167.
[35] Vgl. Grebing, Der Revisionismus, S. 163.
[36] Die staatsfeindliche Tätigkeit, S. 168 f.
[37] Vgl. Janka, Schwierigkeiten, S. 75.
[38] Ebenda, S. 86.
[39] Vgl. Sonderausgabe Einheit: Das Wort hat Dr. Wolfgang Harich.
[40] Vgl. FAZ vom 21. 3. 1957, S. 5.
[41] Vgl. S. 102 f.
[42] Vgl. Sonderausgabe Einheit: Der Harich-Prozeß.
[43] Vgl. Volksstimme Magdeburg vom 30. 3. 1957.

zwar nicht körperlich vorhandener, aber real existierender Angeklagter das Ostbüro der SPD saß"[44]. Zum Dementi der SED bemerkte Thomas, es sei das Unglück der Kommunisten, daß ihnen niemand etwas glaube, da sie zu oft gelogen hätten. Nach dem Erscheinen von Jankas Autobiographie, in der er den Auftritt Harichs im Gericht schildert, kann jetzt gesagt werden, daß zumindest das vom Ostbüro verbreitete Schlußwort Harichs eine Fälschung war[45].

Harichs Forderungen und Vorschläge entsprachen zu einem Großteil den reformistischen Vorstellungen Gomulkas in Polen, und eine ähnliche Entwicklung erhoffte sich das Ostbüro auch für Ostdeutschland. Aber die Tatsache, daß Harich entsprechende Thesen vertrat und sie mit dem Ostbüro diskutierte, war schon ein Erfolg an sich, und von daher war es nicht entscheidend, ob Harich und die anderen Gruppenmitglieder verhaftet wurden oder sich in den Westen absetzen konnten, ob die „Plattform" und das Schlußwort gefälscht waren oder nicht. Was zählte war, daß das Ostbüro damit zu „beweisen" vermochte, daß es auch in der DDR reformistische Kreise gab, die nicht davor zurückschreckten, mit der SPD und seiner angeblichen „Agenten- und Sabotagezentrale Ostbüro" Kontakt aufzunehmen. Ob Desinformation oder nicht: Das Ostbüro hatte in der DDR Verwirrung gestiftet und die Entscheidungsinstanzen in Handlungszwang gebracht – in jedem Fall ein Erfolg.

Spionage des Staatssicherheitsdienstes

Ende der vierziger Jahre hatte es der sowjetische Geheimdienst vermocht, die Tätigkeit des Ostbüros fast völlig lahmzulegen. Nach dessen weitgehender Konsolidierung Ende 1949 war gegnerische Spionage zunächst kaum noch auszumachen. Erst Mitte der fünfziger Jahre wurde das Ostbüro wieder verstärkt Zielscheibe östlicher Geheimdienste, insbesondere des Staatssicherheitsdienstes (SSD) der DDR. Als Ausgangspunkt können hier Äußerungen Ulbrichts gesehen werden, der nach dem 17. Juni 1953 feststellte, daß der „Sozialdemokratismus" nicht ausgerottet sei. In der 15. Plenumssitzung des Zentralkomitees der SED im Juli 1953 erklärte Ulbricht, der Staatssicherheitsdienst habe anerkennenswerte Arbeit geleistet „im Kampf gegen die KgU, gegen den BdJ in Berlin [...]. Das anerkennen wir, aber, liebe Genossen, wenn der Feind eine illegale Organisation hat, muß man systematisch den Kampf dagegen führen. Der Fehler resultiert daraus, daß in der Staatssicherheit die Unterschätzung der Parteiarbeit vorhanden war"[46].

Aufgrund der Tatsache, daß in Berlin zeitweise mehr als 50 Personen auf Honorarbasis oder gegen Unkostenentschädigung für die verschiedenen Zweig-

[44] PATh, Bd. 1957 I, Manuskript.
[45] Vgl. Janka, Schwierigkeiten, S. 89.
[46] AdsD, Ostbüro-Archiv, Bd. 0303 I, Parteiinternes Protokoll, S. 106.

stellen des Ostbüros arbeiteten, war es für die östliche Seite relativ leicht, Agenten einzuschleusen. So kam es zu mindestens drei Fällen von teilweisem Zusammenspiel einzelner Mitarbeiter mit dem SSD; einer davon war der Fall des Studenten Wolfgang Zaehle, der zwischen 1954 und 1957 als Sachbearbeiter im Berliner Büro tätig war[47]. Nach einem Anfangsverdacht kam er am 14. Juni 1957 in Untersuchungshaft. Eine Tätigkeit für den Staatssicherheitsdienst konnte jedoch nicht nachgewiesen werden. Anlaß für Zaehles Verhaftung dürfte der Artikel „Was tut das Ostbüro der SPD" im Mai 1957 in der *Anderen Zeitung*[48] gewesen sein, für den er die Informationen geliefert zu haben scheint. Später setzte sich Zaehle in die damals nur durch die DDR erreichbare Enklave Steinstücken ab. Aus der SPD waren er und seine Frau Irmgard „wegen Betätigung für die ehemalige KPD etc."[49] schon zuvor ausgeschlossen worden.

Der spätere Leiter des Berliner Ostbüros, Eberhard Zachmann, sprach davon, daß sich Zaehle aus „mehr oder weniger ideologischen Gründen" abgesetzt habe[50]. Eine Rolle gespielt haben mag aber auch, daß Zaehle – wie auch andere Mitarbeiter des Ostbüros – dem Staatssicherheitsdienst namentlich bekannt und deshalb Psychoterror ausgesetzt war. Zaehle bekam 1955 einen Brief aus der DDR, in dem ihm Konsequenzen für sein Tun angedroht wurden: „Sie arbeiten unter den Decknamen Klaus Richter und Klaus Zimmermann. [...] Ihnen, Herr Zaehle, wird bekannt sein, auf welche Art Menschen, die eine derart verbrecherische Tätigkeit ausüben, geendet haben, enden und enden werden. [...] Für Ihre Person gibt es gegenwärtig nur zwei Wege. Der eine Weg führt [...] ins Zuchthaus. Der andere Weg führt über den Bruch mit Ihrer jetzigen Tätigkeit zu dem Weg, den jeder anständige und nationalbewußte Arbeiter geht. [...] Wir geben Ihnen hiermit die Möglichkeit, ebenfalls diesen Weg einzuschlagen und vorerst mit Vertretern unseres Organs in mittelbaren, d. h. über Ihren Vater oder Bruder oder unmittelbaren Kontakt zu kommen. [...] Dies ist eine einmalige Chance, die wir Ihnen bieten. Schließlich werden Ihre amerikanischen Auftraggeber kaum gewillt sein, bei ihrem Abzug aus Deutschland Ihrer Person und Familie in London oder New York eine gesicherte Existenz zu bieten."[51]

Solche Einschüchterungsversuche waren keine Seltenheit. So berichtete Karl Germer, der erste Parteivorsitzende der SPD in Berlin nach der Zwangsvereinigung, die Sowjets hätten sich über manche als Wichtigtuer angesehene Mitarbeiter des Ostbüros geradezu lustig gemacht: „Sie leisteten sich den Scherz, einem, der sich standhaft weigerte, auch seinen Freunden eine Wohnadresse zu nennen [gemeint ist ‚Peter Wandel'], zum Geburtstag ein Ständchen zu bringen, und etwas später ließen sie ihm einen Wagen Koks anfahren."[52] Ein andermal

---

[47] Privatarchiv Hiller, Schreiben von Busse an das Landgericht Bonn vom 15. 6. 1968, S. 11.
[48] Die Andere Zeitung vom 2. 5. 1957.
[49] AdsD, Ostbüro-Archiv, Bd. 0444, Rundschreiben des Parteivorstandes vom 16. 6. 1958.
[50] Zachmann im Interview vom 24. 2. 1988, S. 15.
[51] AdsD, Ostbüro-Archiv, Bd. 0337 III, Brief vom 16. 4. 1955.
[52] Germer, Von Grotewohl, S. 72.

kam „Dr. Reinhard" (Pritzel) „eines Tages ganz aufgelöst in den Dienst: man hatte am Tag vorher einen Kranz für ihn bei seiner Frau abgegeben"[53]. Bei Pritzel ereigneten sich mehrere solcher Vorfälle.

Auch Entführungsversuche gehörten nach wie vor zum Repertoire des Staatssicherheitsdienstes: Ein gelegentlicher Informant aus Cottbus versuchte Zachmann im September 1953 zu einem Treffen in der Nähe der Friedrichstraße zu bewegen. Auf ein Zeichen hin sollte Zachmann, wie zuvor Dr. Linse vom Untersuchungsausschuß freiheitlicher Juristen, der dabei zu Tode kam, entführt werden. Da das Ostbüro die West-Berliner Polizei eingeschaltet hatte, blieb es bei dem Entführungsversuch[54]. Der Cottbuser Lockvogel, dessen Tätigkeit für das Ostbüro vom Staatssicherheitsdienst aufgedeckt und der unter der Auflage in den Westen entlassen worden war, bei der Entführung zu helfen, wurde erpreßt: Als Druckmittel gegen ihn hielt man seine Frau und seinen dreijährigen Sohn in der DDR zurück[55]. Außerdem setzte der SSD auch einen ehemaligen Kompaniekameraden Zachmanns, der im Zuchthaus Halle einsaß, auf diesen an. Der Kamerad sollte mit Zachmann in ein Lokal gehen, dort sollte diesem im angetrunkenen Zustand eine Spritze verabreicht und er dann in den Ostsektor der Stadt geschafft werden. Der Kriegskamerad gestand dies Zachmann jedoch schon beim ersten Zusammentreffen[56].

Gegenüber den Ostbüro-Mitarbeiterinnen Käthe Fraedrich und Charlotte Heyden startete der SSD gleich zwei Attentatsversuche, und nur der Aufmerksamkeit des Nachbarhundes war es zu danken, daß ein nächtlicher Einbruch in die gemeinsame Wohnung der beiden Frauen fehlschlug. Wenig später verhaftete der Berliner Staatsschutz drei Männer, die die beiden mehrere Tage lang beschattet hatten. Bei der Festnahme kamen eine Gaspistole, Gift und Betäubungsmittel zum Vorschein[57]. Der SPD-Pressedienst verbreitete daraufhin die Meldung, der Staatssicherheitsdienst sei angesichts der „propagandistischen Erfolge" des Ostbüros zu individuellem Terror gegenüber den Mitarbeitern des Ostbüros übergegangen. So seien in den letzten Wochen „ein Gasattentat und ein Entführungsversuch"[58] gescheitert.

Tatsächlich aber hatte das Ostbüro in den Monaten zuvor schwere Rückschläge hinnehmen müssen. Der erste betraf das Büro in der Langobardenallee. Am 20. Juli 1956 wurde der Postangestellte Alfred Geißler in Berlin verhaftet, der nach Polizeierkenntnissen seit Juli 1955 die Telefonate aller drei Telefongeräte im „oberhaus" mitgeschnitten und die Bänder dem SSD übermittelt hatte[59].

---

[53] B. im Interview vom 19. 11. 1988, S. 5.

[54] Zachmann im Interview vom 24. 2. 1988, S. 7.

[55] Monatsbericht über die Sonderaktionen in der Sowjetischen Besatzungszone, Oktober 1953, Anlage 41.

[56] Zachmann im Interview vom 24. 2. 1988, S. 21.

[57] B. im Interview vom 19. 11. 1988, S. 6.

[58] Parlamentarisch-Politischer Pressespiegel Nr. 127 vom 10. 7. 1957; Ostspiegel vom 10. 7. 1957, S. 2.

[59] AdsD, Ostbüro-Archiv, Bd. 0337 III, Bericht von „Wandel" an Thomas vom 21. 7. 1956.

Wie virulent dieser Fall war, zeigt die Tatsache, daß der Ostbüro-Mitarbeiter Richard Majunke seine Verhaftung 1956 ursächlich auf ein abgehörtes Telefongespräch, das ihm in der Untersuchungshaft vorgespielt wurde, und auf ein Foto, das ihn vor dem Ostbüro zeigte, zurückführte[60]. Auch früher schon war inhaftierten Sozialdemokraten gesagt worden, man habe sie im Westen fotografiert und man wisse genau, „daß Sie telefoniert haben"[61].

Am 7. August 1956, sechs Wochen nach diesem ersten großen Spionagefall im Ostbüro, wurde von der politischen Polizei in West-Berlin das Hausmeisterehepaar Albrecht verhaftet[62], das im Gebäude des Ostbüros in der Langobardenallee 14 eine Wohnung hatte. Stephan Thomas erklärte dazu in der Berliner Presse, die Eheleute hätten in keinem Dienstverhältnis zur Berliner Flüchtlingsbetreuungsstelle gestanden und lediglich aufgrund eines Mietvertrages mit dem privaten Hauseigentümer im Haus gewohnt, „in dem sich keine Diensträume des Ostbüros befinden"[63] – eine auch bei enger Auslegung der Trennung zwischen Ostbüro und Flüchtlingsbetreuungsstelle nur halbrichtige Stellungnahme. Denn die Albrechts wohnten in der Langobardenallee 14, seit das Ostbüro sich dort eingemietet hatte, und Frau Albrecht wurde zur Reinigung der Büroräume herangezogen. In die Wohnung der Albrechts war eine Alarmanlage für die Büroräume eingebaut worden, und außerdem bezahlte das Ostbüro den Telefonanschluß des Ehepaares mit der Auflage, bei Vorkommnissen die Polizei zu benachrichtigen. Daneben hatten die beiden Verhafteten Schlüssel zu sämtlichen Büroräumen, und „sie waren die einzigen, die von 24 Stunden volle 14 Stunden ungestört alle Räume des Ostbüros betreten konnten"[64], wie ein anonymer Informant dem SPD-Bundestagsabgeordneten Herbert Wehner mitteilte. Zudem trugen viele Flugblätter des Ostbüros zur Deckung die Anschrift der Familie Albrecht.

Die West-Berliner BZ griff das Ostbüro nach diesen Vorfällen wochenlang an. Am 8. August 1956 hatte sie schon gefordert: „Bestraft den Leichtsinn [. . .]. Mit Bestürzung mußten die Beamten bei den gestrigen Vernehmungen feststellen, mit welchem Leichtsinn diese Dienststelle, auf die Hunderttausende von Sowjetzonenbewohner all ihre Hoffnungen gesetzt haben, arbeitet". Und am 21. August: „Die gute Sache des echten Widerstandes wird zum Teil von ungeeigneten Leuten mit schlecht angewandten Mitteln dilettantisch und verantwortungslos um ihren Erfolg gebracht. Einzelne sitzen ruhig im Hintergrund und viele der von ihnen Verführten sitzen in sowjetzonalen Zuchthäusern." Als der West-Berliner Staatsschutz nur einen Monat später den Eigentümer eines Lieferwagens verhaftete, der für den Staatssicherheitsdienst spioniert hatte, indem

---

[60] Majunke im Interview vom 1.6.1988, S.4.
[61] AdsD, Ostbüro-Archiv, Bd. 0394 c, Bericht vom Dezember 1955, S.7.
[62] Vgl. BZ vom 13.9.1956, S.3.
[63] Telegraf vom 9.8.1956, S.3.
[64] AdsD, Fraktionsunterlagen, Büro Wehner Bd. 735 T–Z, Unterlage für Wehner vom Februar 1957.

er mit einer im Wagen eingebauten Kamera Besucher des Büros in der Langobardenallee fotografierte, lautete die Schlagzeile der *BZ:* „Macht endlich die
Bude zu!"[65]

Die Auswirkungen dieser Spionageaktionen auf die Arbeit des Ostbüros sind
nicht abschätzbar. Sicherlich war der Vertrauensverlust in der Öffentlichkeit
mindestens so groß wie der Schaden durch die Enttarnung der V-Leute mittels
abgehörter Telefonate und geheimer Aufnahmen. Die Diskreditierung des Ostbüros löste einen Proteststurm aus. Auch in der SPD und im Parteivorstand
mehrten sich die kritischen Stimmen, die meinten, man solle die Spionage lieber
den professionellen Geheimdiensten überlassen. Das Ostbüro zog andere Konsequenzen; man übersiedelte in die Spechtstraße 17 und reagierte intern mit ver-
feinerten Einstellungsüberprüfungsverfahren und Verschärfungen auch im
Archiv[66]. Stephan Thomas sprach zusätzlich von einer im Juli 1957 „notwendig
gewordenen Reorganisation"[67] des Ostbüros in Berlin.

Gleichwohl gab es erneut Überläufer: Karlheinz Reineck etwa, der 1946 als
KPD-Mitglied Chefredakteur einer Zeitung im bayerischen Ansbach gewesen
war. Von dort ging er in die SBZ und wurde 1948 Redakteur beim *Neuen
Deutschland.* Im Februar 1953 wechselte er nach West-Berlin, wo er sich als
politischer Flüchtling ausgab[68]. Reineck wurde als freier Mitarbeiter für das
Ostbüro tätig[69]. Laut Stephan Thomas hatte man ihm, da er sich in einer finan-
ziellen Notlage befand, die Möglichkeit gegeben, „sich als gelegentlicher Mitarbeiter im Rahmen rein technischer Verrichtungen (Mithilfe bei unseren in Berlin
durchgeführten Ballonaktionen) zu betätigen". Zu keiner Zeit sei er hauptamtli-
cher Mitarbeiter gewesen. Im Zuge der Reorganisation vom Juli 1957 wurde
Reineck mitgeteilt, man könne ihn nicht weiter im Büro beschäftigen, jedoch
bot man ihm noch vorübergehend Schreibarbeiten an[70].

Reineck scheint nicht vom SSD angesetzt gewesen, sondern wieder in die
DDR zurückgegangen zu sein, als er im Ostbüro nicht zum Zuge kam. Nach
Ost-Berliner Angaben suchte der „Westberliner Journalist" Reineck am
19. Oktober 1959 um Asyl in der DDR nach. Ab dem 31. Oktober 1959 sagte er
in ostdeutschen Zeitungen über das Ostbüro, insbesondere über Ballonaktionen,
aus[71]. Einen Monat später suchte auch der Fahrer des Leiters des Berliner Ostbüros, Helmut Kiener, in der DDR um „Asyl" nach[72]. Damit wurde im nach-
hinein auch erklärlich, warum Kieners Chef an seinem Geburtstag von Unbekannt Blumen in seinen geheimen Aufenthalt geschickt werden konnten, und

[65] BZ vom 14. 10. 1956, S. 2.
[66] Bärwald im Interview vom 17. 5. 1988, S. 12 f.
[67] AdsD, Ostbüro-Archiv, Bd. 0499 b II, Manuskript von Thomas an den Spiegel.
[68] Ebenda, Brief von Thomas an den Spiegel vom 8. 8. 1960; Spiegel vom 9. 9. 1953, S. 34.
[69] Zachmann im Interview vom 24. 2. 1988, S. 8.
[70] AdsD, Ostbüro-Archiv, Bd. 0499 b II, Manuskript von Thomas an den Spiegel.
[71] Vgl. (Ost-)Berliner Zeitung vom 31. 10. 1959.
[72] Sächsische Zeitung vom 24. 11. 1959, S. 3.

warum der Staatssicherheitsdienst eine Fuhre Kohle vor seiner Wohnung abladen konnte.

Veränderungen nach Wehners Wahl in den Parteivorstand

Nach der Wahl Herbert Wehners zum stellvertretenden Parteivorsitzenden 1958 gab es offenbar Überlegungen, das Ostbüro aufzulösen, und statt dessen mit Hilfe der vorhandenen Kontakte in der DDR eine für die USA arbeitende Spionageorganisation aufzubauen. „Peter Wandel" rechnete angeblich mit einem monatlichen Zuschuß der Amerikaner in Höhe von 25000 DM[73]. Ausgelöst wurden diese Überlegungen durch Wehners ablehnende Haltung gegenüber dem Ostbüro. Schon im Februar 1957 hatte Wehner von führender Stelle aus dem Ostbüro in Berlin einen detaillierten siebenseitigen Bericht über die Auseinandersetzungen innerhalb des Büros und über die verschiedenen Spionageaffären erhalten. Der Bericht informierte über die Versäumnisse und Fehler der Zweigstelle und nannte auch die Verantwortlichen[74].

Doch der eigentliche Grund der Auseinandersetzungen lag viel tiefer und viel früher: Kurz nach seinem Amtsantritt war Stephan Thomas vom Parteivorsitzenden Kurt Schumacher nach Skandinavien geschickt worden, um Informationen über Wehners Verhalten in der NS-Zeit zu ermitteln. In Zusammenarbeit auch mit dortigen Geheimdiensten kamen insgesamt sieben Aktenordner mit Material zusammen, das Schumacher 1948/49 dazu veranlaßte, ein Jahr lang jeglichen persönlichen Kontakt mit Wehner zu vermeiden. Diese sieben Bände mit der Aufschrift „H.W." wurden bis 1958 im Ostbüro aufbewahrt und nach dem Stuttgarter Parteitag von Thomas entfernt; derzeit lagern sie bei einem Rechtsanwalt. Gleichwohl arbeitete Wehner gerade in der Anfangszeit des Ostbüros mit Thomas zusammen; seine Angaben über die illegale KPD von 1933 bis 1945 füllen allein zwei Ordner mit der Aufschrift „A 128", Wehners Codenamen. Später beschränkte sich die Zusammenarbeit auf Wehners Tätigkeit als Vorsitzender des Gesamtdeutschen Bundestagsausschusses. Als Wehner nach Kurt Schumachers Tod von den über ihn angelegten Ordnern erfuhr, steigerten sich seine Vorbehalte gegen Thomas zu offener Gegnerschaft.

Hinzu kamen heftige Auseinandersetzungen zwischen dem konspirativen Teil des Ostbüros und der Flüchtlingsbetreuungsstelle, die Wehner zur Schwächung der Position des Leiters des Ostbüros nutzte. So beschwerte sich Arno Stahl, Flüchtlingsbetreuer in Berlin, sowohl bei Wehner selbst als auch bei dessen Bekannter Annelene von Caprivi über die Bevorzugung der konspirativen Abteilung: „Die Unterschiedlichkeit der Gehälter sowie die ständige Bevorzugung

---

[73] AdsD, Fraktionsunterlagen, Korrespondenz Wehner Bd.731 A–E, Brief von Stahl an von Caprivi vom 3.7.1958.

[74] Ebenda, Schreiben o. Dat.

des konspirativen Apparates der Flüchtlingsbetreuung haben uns im Herbst v. J. veranlaßt, eine Gehaltszulage zu erbitten. [...] Leider haben unsere Vorgesetzten im Flüchtling nur den mehr oder weniger interessanten Informanten gesehen. Den zu gewinnenden SPD-Genossen nicht."[75] Günther Nelke, Flüchtlingsbetreuer im Ostbüro, drückte sich zwar vorsichtiger aus, bestätigte aber, „die Tätigkeit der beiden Büros", also des konspirativen Teils und der Flüchtlingsbetreuungsstelle, habe sich immer mehr auseinanderentwickelt[76]. Herbert Wehner sollte diese Differenzen instrumentalisieren.

Ein erster Schritt zu Thomas' Entmachtung war die klare Trennung der Aufgaben im Ostbüro nach dem Stuttgarter SPD-Parteitag 1958, auf dem das bisher zuständige Mitglied des Parteivorstands, Fritz Heine, nicht wiedergewählt wurde. Heine hatte diesen Bereich seit seiner Rückkehr aus England im Februar 1946 geleitet; sein Nachfolger wurde einige Monate später Max Kukil, der als Mitglied des Parteivorstands aus Schleswig-Holstein zusätzlich mit der Betreuung von NS-Opfern befaßt war. Herbert Wehner übernahm die zuvor von Heine mitbetreute Presseabteilung des Parteivorstands.

Bereits im Juni 1953 hatte das *Neue Deutschland* Herbert Wehner zum „Leiter des sogenannten Ostbüros, einer großangelegten Spionageorganisation"[77] befördert. Zu diesem Zeitpunkt hatte Wehner tatsächlich jedoch nichts mit dem Ostbüro zu tun. Zuständig wurde er erst im Dezember 1959, ein knappes Jahr nach dem überraschenden Tod Kukils, wobei ihm Erich Ollenhauer gleichberechtigt zur Seite gestellt wurde[78]. Wehner setzte eine Teilung des Büros durch: Tätigkeiten, die sich auf Personen im Bundesgebiet bezogen, also vor allem die Flüchtlingsbetreuung, wurden aus der Arbeit des Ostbüros ausgeklammert; die Verantwortung dafür übernahm Günther Nelke, der gleichberechtigter Referatsleiter neben Stephan Thomas wurde[79].

Wenngleich Stephan Thomas und Herbert Wehner in den Jahren vor 1958 gelegentlich zusammengearbeitet hatten – immerhin hatte Thomas auch die Übersiedlung von Wehners Bruder organisiert –, so herrschte zwischen beiden doch ein latenter Spannungszustand. Dieser übertrug sich auch auf die Führung des Berliner Ostbüros. Wehner hatte, wie schon gezeigt, durchaus informelle Kontakte zur Berliner Außenstelle und erfuhr auf diese Weise auch Interna von dort. „Peter Wandel" lag mit seiner Arbeit ständig in Wehners Schußlinie und quittierte deshalb 1961 den Dienst.

Natürlich hatte es auch vor Wehners Amtsantritt gelegentlich Widerstand gegen den sozialdemokratischen „Agentenschuppen" gegeben, doch Kurt Schumacher und Erich Ollenhauer hatten diese Opposition stets gebremst. Wehner

---

[75] Ebenda, Brief von Stahl an von Caprivi vom 3. 7. 1958.
[76] Brief von Nelke an den Verf. vom 27. 5. 1988.
[77] Neues Deutschland vom 21. 6. 1953, S. 3.
[78] AdsD, PV-Protokolle 1959, Protokoll vom 19. 12. 1959.
[79] Nelke im Interview vom 28. 11. 1987, S. 3.

betrieb seine Arbeit gegen Thomas nach 1958 systematisch, und dies unterschied ihn von „Linksabweichlern" in den vierziger und fünfziger Jahren. Hinzu kam, daß die Arbeit des Büros in der Partei nicht mehr als unverzichtbar angesehen wurde.

Stephan Thomas sah sich Anfang 1966 dem – unbegründeten – Vorwurf ausgesetzt, einer der „Heckenschützen" gewesen zu sein, die mit großem Insiderwissen, unter anderem aus dem Ostbüro, Herbert Wehners Führungsstil kritisierten und an seine kommunistische Vergangenheit erinnerten. Eine parteiinterne Untersuchungskommission unter Leitung des späteren Bundesjustizministers Gerhard Jahn erbrachte keine Erkenntnisse über die Urheber der Kampagne. Tatsächlich hatten ein Mitarbeiter des Ostbüros, Rudi Maerker, und ein Redakteur des *Vorwärts* die Presseberichte lanciert.

Mitte 1966 verließ Thomas das Ostbüro und wechselte als Leiter der Internationalen Abteilung zur Friedrich-Ebert-Stiftung. Zunächst kommissarisch, dann als Referatsleiter, übernahm Helmut Bärwald das Büro, dessen Aufgaben Zug um Zug beschnitten wurden, dessen Handlungsspielraum jedoch schon durch den Bau der Berliner Mauer stark eingeschränkt worden war.

Nach internen Auseinandersetzungen, für die Bärwald und der Parteivorstand unterschiedliche Gründe anführten, quittierte Bärwald im Januar 1971 den Dienst. Das Bonner Ostbüro wurde aufgelöst, während man in Berlin ohne Anleitung aus Bonn weiterarbeitete. „Bobby Keller" (Willi Storbeck), der sich gelegentlich um die Betreuung des Berliner Büros kümmerte, verfügte 1981 im Auftrag der Bonner Parteiführung die Vernichtung des dortigen Archivs. Die zwischen 1972 und 1981 in Bonn gesammelten, aber nicht sortierten Berichtskopien wurden geordnet und mit einem Großteil des ehemaligen Bonner Berichtsarchivs der Friedrich-Ebert-Stiftung übergeben. Sie sollten für 30 Jahre nur einem begrenzten Personenkreis zugänglich gemacht werden. Nach der friedlichen Revolution in der DDR beschloß der SPD-Parteivorstand jedoch, die Unterlagen zusammenzuführen und der wissenschaftlichen Forschung zugänglich zu machen.

Zusammenfassung

Die Gründung des Ostbüros der SPD spiegelt die Absicht insbesondere Kurt Schumachers wider, Kontakt zu den Sozialdemokraten in der SBZ zu halten, die sich dem Zusammenschluß mit der KPD verweigerten. Gerade anhand des Fehlens konspirativer Zusammenarbeit des Ostbüros mit alliierten Stellen bis 1949 wird deutlich, daß hier keine Außenstelle britischer oder amerikanischer Geheimdienste entstand. Mit guten Vorsätzen, anknüpfend an den Widerstand gegen das Hitler-Regime, aber mit wenig konspirativer Erfahrung, begann man, Flüchtlinge zu betreuen, Nachrichten zu sammeln, die gewonnenen Erkenntnisse zu sortieren und sie gelegentlich auch alliierten und später deutschen Stellen zuzuleiten. Allerdings belegt die Korrespondenz des Ostbüros deutlich, daß man nicht in alliiertem Auftrag arbeitete.

Der nachrichtendienstliche Teil der Arbeit des Ostbüros mag aus heutiger Perspektive wie Spionage erscheinen. Doch damals wurde diese Tätigkeit keinesfalls als landesverräterisch begriffen. Zu einer Zeit, in der Deutschland – angeblich nur vorübergehend – durch Zonengrenzen geteilt war und in der Sozialdemokraten in der sowjetischen Zone wegen ihrer politischen Einstellung um Leib und Leben fürchten mußten, erschien diese Arbeit aus sozialdemokratischer Sicht nicht als Spionage. Auch in der NS-Zeit hatte man ähnlich agiert, bis hin zur punktuellen Zusammenarbeit mit dem britischen Geheimdienst. Man sah im Gegenteil vielmehr in der SED den eigentlichen Landesverräter, die „russische Partei" in Deutschland, als eine Partei, die ihre Aufträge und Weisungen vom großen Bruder in Moskau bekam, der in der „Ostzone" durch die Militärkommandanten vertreten war.

Zwar war auch die SPD auf das Wohlwollen der Besatzungsmächte angewiesen, waren doch Papierzuteilungen, Interzonenpässe, ja selbst Autoschläuche nicht ohne Mithilfe der Alliierten zu bekommen, doch die Weitergabe von Informationen an die Besatzungsmächte erfolgte freiwillig und lag im politischen Interesse der SPD. Insofern traf die Bezeichnung des Ostbüros als Nachrichtendienst in gewissem Umfang zu, aber ein großer Teil seiner Arbeit wurde aus offiziellen oder halboffiziellen Quellen gespeist und hatte publizistischen Charakter.

War das Ostbüro im wesentlichen eine Nachrichtensammelstelle, so ist nach dem Sinn und Zweck dieser Arbeit für die SPD zu fragen. In der Konzeption Kurt Schumachers spielte das Ostbüro eine zentrale Rolle. Es hatte einerseits den SPD-Parteivorstand über die Entwicklungen in Mitteldeutschland zu unterrichten, da sich die SPD als gesamtdeutsche Partei verstand. Andererseits mußten unter den in der SBZ/DDR herrschenden politischen Umständen den dort lebenden Deutschen die politischen und ökonomischen Überzeugungen des demokratischen Sozialismus illegal nahegebracht werden. Die gesamtdeutsche Konzeption der SPD änderte sich auch nicht, als die bürgerlichen Parteien 1949 die Bundestagswahlen gewannen. Gerade jetzt galt es, unabhängig von Regierungsverlautbarungen, die eigenen Überzeugungen ins Stammland der Sozialdemokratie zu tragen. Ein weiteres Motiv lag sicherlich in der Hoffnung, mit den Stimmen der sozialdemokratischen Wähler aus der SBZ/DDR nach einer Wiedervereinigung die gesamtdeutsche Regierung stellen zu können.

Schumachers Lagebeurteilungen und Entscheidungen, die im großen und ganzen auch die der SPD waren[1], sahen das Ostbüro als Kontakt- und Anlaufstelle für Sozialdemokraten jenseits der Elbe, als eine Organisation, die Vorbereitungen für den Tag der Wiedervereinigung und freier Wahlen treffen sollte, und als Flüchtlingsbetreuungsstelle. Bedenkt man, daß sich die SPD in den über 80 Jahren ihrer Existenz bis 1945 nur zwischen 1918 und 1933 völlig frei hatte entfalten können, so lagen die Aufgaben des Ostbüros durchaus in der Parteitradition.

Das Ostbüro und insbesondere Stephan Thomas arbeiteten in voller Übereinstimmung mit dem Vorstand der SPD. Bis weit in die fünfziger Jahre hinein war das Ostbüro Nachrichtenbörse und Werkstatt für die deutschlandpolitischen und auf Osteuropa bezogenen Konzeptionen der Sozialdemokratie. Die Frage nach seiner politischen Wirksamkeit läßt sich mit einem Streifgang durch die kommunistisch gesteuerte Presse der vierziger und fünfziger Jahre beantworten: Die zum Teil hysterischen Reaktionen ostdeutscher Stellen deuten auf eine effiziente Durchdringung der SBZ/DDR mit SPD-Materialien und sozialdemokratischen Ideen hin. Die SED und die staatlichen Organe der DDR nahmen die Tätigkeit des Ostbüros sehr ernst. Freilich war diese Tätigkeit mit Tausenden von Opfern verbunden, und die Frage muß offenbleiben, ob sich das Martyrium vieler Sozialdemokraten für ihre Partei und ein vereinigtes demokratisches Deutschland gelohnt hat.

Das Ostbüro existierte zwar bis 1966 (das Nachfolgereferat gar bis 1971), jedoch wurden seine Arbeitsmöglichkeiten ab 1958 durch den neuen stellvertretenden Parteivorsitzenden Herbert Wehner Zug um Zug eingeschränkt. Schwer feststellbar ist heute, ob Wehner dies aufgrund seiner Antipathie gegenüber Thomas und dessen Nachforschungen in den Biografien ehemaliger Kommunisten in der SPD – also auch in Wehners eigener – tat, oder im Hinblick auf eine neue Politik der Entspannung zwischen Ost und West. Wahrscheinlich spielte beides eine Rolle. Hinzu kam, daß nach dem Bau der Berliner Mauer der Einsatz von V-Männern kaum noch möglich war; das Ostbüro degenerierte zu einer Auswertungsstelle für Presseerzeugnisse und zu einer Drehscheibe für

---

[1] Vgl. Schwarz, Vom Reich zur Bundesrepublik, S. 483.

Propagandamaterial. Wehners Kleinkrieg führte drei Jahre nach seiner Wahl zum Rücktritt des Berliner Ostbüroleiters „Peter Wandel", acht Jahre nach seiner Wahl in den Parteivorstand zum Abschied von Ostbürochef Stephan Thomas. Fünf Jahre später nahm auch Thomas' Nachfolger Helmut Bärwald seinen Abschied aus dem mittlerweile umbenannten Referat – nicht ohne sich öffentlichkeitswirksam über die Preisgabe sozialdemokratischer Interessen durch die neue Ostpolitik unter dem ersten sozialdemokratischen Bundeskanzler Willy Brandt zu beklagen[2].

Aus der Perspektive vieler langjähriger Ostbüro-Mitarbeiter war die SPD nun doch auf die alte Forderung der SED eingegangen, vor Gesprächen über eine Verbesserung der Beziehungen dessen Arbeit einzustellen. Tatsächlich jedoch hatte sich das Ostbüro längst politisch überlebt: In einer Zeit, in der man in der DDR zwei bundesdeutsche Fernseh- und etliche Hörfunkprogramme empfangen konnte, bedurfte es keiner Flugblätter mehr. Und unter einem der SPD angehörenden Präsidenten des Bundesamtes für Verfassungsschutz erschien auch die Inlandsaufklärung einer konspirativen Parteistelle als obsolet. Die Flüchtlingsbetreuung hatten viel früher schon caritative und staatliche Organisationen übernommen, zudem gab es 25 Jahre nach der Zwangsvereinigung kaum noch „sozialdemokratische" Flüchtlinge. Das Ostbüro hatte seine Funktion verloren, weil eine Wiedervereinigung Deutschlands und eine Wiederzulassung der SPD in Ostdeutschland in immer weitere Ferne gerückt war.

Von den drei ursprünglichen Hauptfunktionen des Ostbüros (Flüchtlingsbetreuung, Nachrichtendienst, Propaganda) spiegeln sich der nachrichtendienstliche und der journalistische Aspekt in den Tätigkeiten wider, die seine festen Mitarbeiter nach ihrem Ausscheiden wahrnahmen und zum Teil heute noch ausüben: Von den 18 nicht sogleich pensionierten Mitarbeitern, deren weiterer Lebensweg bekannt ist, wurden acht im Bereich Journalismus und politische Bildung tätig, vier arbeiteten in den bundesdeutschen Geheimdiensten, vier blieben Angestellte der SPD oder wechselten zu den Gewerkschaften.

Die Gründung des Ostbüros war nur eine von mehreren Reaktionsmöglichkeiten der SPD auf die kommunistische Politik der Zwangsvereinigung. Sie war aber die einzige Möglichkeit einer kämpfenden SPD, ihren gesamtdeutschen Anspruch aufrechtzuerhalten. In der Tätigkeit des Ostbüros dokumentiert sich die Bürde der „deutschen Frage", in deren Mittelpunkt die Forderung nach Solidarität mit den Deutschen auch jenseits der Elbe stand. Die Antwort auf diese deutsche – und im Kern sozialdemokratische – Frage wurde in den siebziger und achtziger Jahren anders beantwortet als in der Blütezeit des Ostbüros. Doch gerade darin zeigt sich, daß die historische Aufarbeitung der Tätigkeit des Ostbüros einen wichtigen Beitrag zum Verständnis der inneren Dynamik des Kalten Krieges in Deutschland leisten kann.

---

[2] Vgl. Quick vom 17. 2. 1971, „Genossen, ich kann nicht länger schweigen".

Quellen und Literatur

1. Ungedruckte Quellen

Archiv der sozialen Demokratie, Bonn (AdsD)

Ostbüro-Archiv (Sachberichte)
0043 c, 0046 fd–fh, 0048 g, 0100–0107, 0168–0171, 0183, 0185, 0275, 0287 a, 0300–0303, 0327–0337, 0345, 0349, 0351 a–d, m, p, r, t, 0354 a–e, 0355 a, 0356, 0365, 0367, 0367 Sondervorgang Dr. Linse, 0368, 0386 m–t, 0388–0396, 0399 a, 0400–0408, 0410, 0420, 0432 d–f, 0433, 0434, 0444, 0477–0479, 0480 a–b/2, 0481 a, 0482 b
Akten des Parteivorstandes
Parteivorstandsprotokolle 1946–1961
PV-Akten 01179, 01196, 01345, 01358, 01882, 01898–01917, 01939, 01940
Bestand Schumacher
J 26, J 27, J 34, Q 21, Q 23
Akten der SPD-Bundestagsfraktion
Schriftverkehr Wehner Bde. 731 A–E, 732, 735, 736, 737
Nachlaß Arno Scholz
Bd. KgU
Depositum Fritz Heine
Bde. 1–38

Franz-Neumann-Archiv, Berlin (FNA)

IX b/12, Unterlagen Staffelt I–XII, Protokoll vom Bezirksparteitag der SPD 1946 (Faksimilenachdruck) sowie ungeordnete Unterlagen

Privatarchiv Irene Thomas (PATh)

Bde. 1945/46/47, 1947, 1948, 1948 I–II, 1949 I–II, 1950 I–III, 1950/51, 1951 I–II, 1952 I–III, 1952/53, 1953 I–III, 1954 I–IV, 1955 I–II, 1955/56, 1956 I–XII, 1957 I–II, 1958 I–III, 1959 I–II, Handakte Thomas, Bd. E. O., A128, Nauheimer Kreis, Göttinger Arbeitskreis, Akte V, Akte W, Monatsberichte über Sonderaktionen in der sowjetischen Besatzungszone (Juni–Oktober 1953) sowie ungeordnete Unterlagen

Privatarchiv Dieter Rieke

ungeordnet

Privatarchiv Horst Becker

ungeordnet

Privatarchiv Helmut Hiller

ungeordnet

Privatarchiv Wolfgang Buschfort

Tonbandabschrift Seminar Tutzing zum 75. Geburtstag von Stephan Thomas
Videoband Kühne in Sonnenberg am 4. 2. 1988
Haftbericht Wilhelm Henning

Public Record Office, London

No. C 2197, Foreign Office No. 371

2. Gedruckte Quellen

Publikationen des Ostbüros der SPD

Der Flüchtling
Nr. 1 vom August 1953 (sogenannte Nullnummer), Nr. 1 vom Dezember 1953 (Probeausgabe), Von
Juni 1954 bis Februar 1959 monatlich

SED-Opposition
Nr. 1–45, November 1953 bis März 1957

Tatsachen und Berichte aus der Sowjetzone
Nr. 1: Von der HJ zur FDJ
Nr. 2: Von der DAF zum FDGB (1951)
Nr. 3: Von der NSDAP zur KP/SEP
Nr. 4: Von der Gestapo zum SSD
Nr. 5: Von der NS-Frauenschaft zum DFD
Nr. 6: Vom ProMi zum AFI (1952)
Nr. 7: Vom Dritten Reich zur DDR (1953)
Nr. 8: Von der NSV zur Volkssolidarität (1953)
Nr. 9: Von der NS-Wehrmacht zur sowjetischen Nationalen Volksarmee

Sonderausgaben der *Einheit* (Vermutliches Erscheinungsdatum in Klammern)
Marx kontra SED (1955)
Der Kampf um die 40-Stundenwoche und das Aktionsprogramm des DGB (1955)
Dokumente über den Hitler-Stalinpakt (1956)
Karl Kautsky: Demokratie oder Diktatur (1955/56)
Rosa Luxemburg, der Leninismus und die SED (1955)
Die Entlarvung des Stalin-Terrors (1956)
Der menschliche Sozialismus (1956)
Hinter den Kulissen des spanischen Bürgerkrieges (1956)
Bericht vom SPD-Parteitag in München (1956)
Mensch und Technik (1956)
Aktuelle Fragen zur Wiedervereinigung Deutschlands (1956)
Zum KPD-Verbot (1956)
Nehru, Tito, Djilas und Sartre über Ungarn (1956/57)

Die Wahrheit über Ungarn (1957)

Ein Gespenst geht um in Osteuropa (1957)

Der Harich-Prozeß, ein Prozeß der Schwäche (1957)

Das Wort hat Dr. Wolfgang Harich (1957)

Der freiheitliche Sozialismus im Vormarsch (1957)

Die Grundsätze des menschlichen Sozialismus (1957)

Entwicklung und Standort der SPD (1957)

Wo steht ihr – Meister der Kultur (1957)

Kunst und Kultur unter dem totalitären Sowjetregime (1957)

Thesen zum 40. Jahrestag der bolschewistischen Oktoberrevolution (1957)

Eine Wende in der KP Chinas (1957)

Die Marxismus-Diskussion in Polen (1957)

Marx kontra Lenin (1957)

Von St. Petersburg bis Budapest (1957)

Über den dialektischen Materialismus (1957)

Grundprobleme des modernen Sozialismus aus jugoslawischer Sicht (1957)

Beschuldigungen und Tatsachen [über Jugoslawien] (1957)

Gibt es in der Sowjetzone sozialistische Errungenschaften? (1957)

Von der Februarrevolution bis zur Konstituante (1957)

Der Mensch lebt nicht vom Brot allein (1957)

Die stalinistische Philosophie der Sowjetzone in der Defensive (1957)

Die ständigen Oppositionskämpfe in der KPdSU (1957/58)

Von Lenin zu Chruschtschow (1957/58)

Ermordet, verbannt, verschwunden (1958)

Der Revisionismus in der Ökonomie (1958)

Zurück zu Stalin (1958)

MTS, ja oder nein? (1958)

Zum neuen Konflikt Moskau-Belgrad (1958)

Eduard Bernstein, eine Auswahl aus seinen Schriften (1958)

Die Wiedervereinigung im Mittelpunkt (1958)

Stephan Thomas: Sozialdemokratie und Kommunismus (1958)

Das 33. Plenum des ZK's der SED (1958)

Die neue Opposition in der SED (1958)

Die Philosophie Ernst Blochs und der menschliche Sozialismus (1958)

Howard Fast: Der nackte Gott (1958/59)

Denkschriften

Nr. 1: Die Demontage in der Sowjetzone (1948)

Nr. 2: Der organisatorische Aufbau und Umfang des Parteiapparates der SED (1948)

Nr. 3: Arbeitsrecht unter Hammer und Sichel (1948)

Nr. 4: Pressestimmen zur Säuberung in der SED (1948)

Nr. 5: Tatsachen klagen an! Terror und KZ's in der Sowjetzone (1948)

Nr. 6: Zum Spitzel gezwungen (1949)

Nr. 8: Kommunistische Gewerkschaftspolitik in der Sowjetzone (1949)

o. Nr.: Entführungen des NKWD in der Sowjetzone und in Berlin [nicht veröffentlicht]

Nr. 9: Der Uranbergbau in der Sowjetzone (1949)

Nr. 10: Das System des kommunistischen Terrors in der SBZ (1949)

Nr. 11: Die sowjetische Reparationspolitik seit 1945 (1949)

Nr. 12: Der kommunistische Wahlbetrug (1950)

Nr. 13: Die Rüstungsindustrie in der Sowjetzone (1951)

Nr. 14: Jugendliche hinter Stacheldraht (1951)

o. Nr.: Der Dessauer Schauprozeß (1951)

Nr. 15: Der Interzonenhandel (1951)

Nr. 16: Der Titoismus (1951)

Nr. 17: Staatsaufbau und Wirtschaftsplanung in der UdSSR und der Sowjetzone Deutschlands (1952)

o. Nr.: Entwicklung und Gliederung des Deutschlandsenders (1952) [nicht veröffentlicht]

Nr. 18: Ist das Gleichberechtigung? Kommunistische Frauengesetzgebung in Propaganda und Wirklichkeit (1952)

Nr. 19: Löhne, Arbeitsnormen und unbezahlte Arbeit in der Sowjetzone (1953)

Nr. 20: Demontagen in der SBZ (1953)

Nr. 21: Das Gesundheitswesen in der Sowjetzone (1953)

Monatsberichte

Monatsberichte über die Entwicklung in der Sowjetzone, November 1953 bis Dezember 1959

Monatsberichte über die Entwicklung in der Sowjetunion, März 1954 bis Juni 1959

Monatsberichte über die Entwicklung in Polen, Juli/August 1955 bis Mai 1959

Monatsberichte über die Entwicklung in den Volksdemokratien, August 1957 bis Januar 1957

Sonstige Publikationen

Archiv der Gegenwart vom 18. 3. 1966

Berliner Stimme vom 16. 3. 1957

Berliner Zeitung vom 31. 10., 3. 11. 1959

BZ vom 13. 9., 14. 10. 1956

Der Spiegel vom 22. 3. 1950, 9. 9. 1953, 21. 4. 1969

Die Andere Zeitung vom 2. 5. 1957

Einheit, Heft 12 (1948)

Ekstrabladet (Kopenhagen) vom 17. 6. 1953

Frankfurter Allgemeine Zeitung vom 21. 3. 1957

Freiheit vom 5. 12. 1948, 3. 10. 1953

Junge Welt vom 7. 7. 1959

Lausitzer Rundschau vom 14. 10. 1953

Leipziger Volkszeitung vom 13. 9. 1947, 28. 7. 1957

Märkische Volksstimme vom 20. 3. 1957

Neue Justiz 11 (1957)

Neuer Vorwärts vom 24. 8. 1951

Neues Deutschland vom 5. 12. 1948, 15. 4. 1951, 21. 6., 1. 7., 29. 9., 21. 11., 4. 12. 1953, 16. 1. 1954, 15. 3., 8. 12. 1956, 31. 1. 1957, 11. 6. 1966

Quick vom 17. 2. 1971

Sächsische Zeitung vom 29. 11. 1958, 24. 11. 1959

Sozialdemokrat, Nr. 1/1954–6/1956

Tägliche Rundschau vom 10. 4. 1949, 15. 7., 11. 9., 21. 11. 1953

Volksstimme Magdeburg vom 20. 3., 30. 3. 1957, 7. 7. 1959

3. Interviews und schriftliche Auskünfte

Rudolf Augstein, Hamburg, 9.11. 1988 (schriftlich)
B., Berlin, 19.11. 1988
Helmut Bärwald, Grafschaft, 17.5. und 23.11. 1988
Horst Becker, Bonn, 26.7. 1988
Willy Brandt, Bonn, 1.12. 1988 (schriftlich)
Julius Bredenbeck, Kiel, 28.11. 1987
Erich Brost, Essen, 18.7. 1989 (schriftlich)
Wilfried Busch, Hannover, 16.2. 1988
Ewert Freiherr v. Dellingshausen, Bonn, 14.6. 1988 (schriftlich)
Franz Ehrke, Berlin, 19.2. 1988
K. J. Germer, Berlin, 8.10. 1987
Jürgen Gerull, Berlin, 18.2. 1988
Kurt Haase, Berlin, 17.2. 1988
Fritz Heine, Bad Münstereifel, 2.10. 1987 (schriftlich)
Hanns-Peter Hertz, Berlin, 17.2. 1988
Helmut Hiller, Hamburg, 5.9. 1987
Klaus Jelonneck, Bonn, 4.5. 1988
Hermann Kreutzer, Berlin, 18.2. 1988
Heinz Kühne, Braunlage, 4.2. 1988 (Videoband)
Horst Kunze, Bonn, 20.4. 1988
Richard Majunke, Wiesbaden, 1.6. 1988
Günther Nelke, Bonn, 28.11. 1987
Dieter Rieke, Rüsselsheim, 29.4. 1975 (AdsD) und 18.10. 1988
Franklin Schultheiß, Bonn, 11.4. 1988
Ilse Spittmann, Köln, 21.7. 1989
Gerda Strunk, Stuttgart, 26.10. 1988
Franz Thedieck, Bonn, 1.6. 1988 (schriftlich)
Stephan Thomas, Bonn, 14.1. 1986 (durch Katja Stieringer), 12.4. und 1.7. 1986
Willi Visser, Hannover, 7.8. 1990 (schriftlich)
Hans-Günther Weber, Braunschweig, 6.12. 1988
Adam Wolfgram, Leutesdorf, 28.11. 1987
Eberhard Zachmann, Staufen, 24.2. 1988

4. Literatur

Akademie der Wissenschaften der DDR und Zentralinstitut für Geschichte (Hrsg.): DDR, Werden und Wachsen, (Ost-)Berlin 1974.
Bouvier, Beatrix: Antifaschistische Zusammenarbeit, Selbständigkeitsanspruch und Vereinigungstendenz. Die Rolle der Sozialdemokratie beim administrativen und parteipolitischen Aufbau in der sowjetischen Besatzungszone 1945 auf regionaler und lokaler Ebene, in: AfS 16 (1976), S. 417–468.
Brandt, Heinz: Ein Traum, der nicht entführbar ist. Mein Weg zwischen Ost und West, München 1967.
Brundert, Willi: Es begann im Theater ... „Volksjustiz" hinter dem Eisernen Vorhang, Berlin/Hannover 1958.
Brundert, Willi: Spiegelbild deutschen Schicksals. Ein Lebensbild, Hannover 1964.
Bundesvorstand der Arbeiterwohlfahrt (Hrsg.): Vorstandsprotokolle 1948–1954, Bonn 1987.

Bust-Bartels, Axel: Der Arbeiteraufstand am 17. Juni 1953. Ursachen, Verlauf und gesellschaftspolitische Ziele, in: Aus Politik und Zeitgeschichte 25 (1980), S. 24–54.

Caracciolo, Lucio: Der Untergang der Sozialdemokratie in der sowjetischen Besatzungszone. Otto Grotewohl und die „Einheit der Arbeiterklasse" 1945/46, in: Vierteljahrshefte für Zeitgeschichte 36 (1988), S. 281–318.

Deutsches Institut für Zeitgeschichte (Hrsg.): Dokumente, (Ost-)Berlin 1953.

Dokumente der SED, Bde. 2–4, (Ost-)Berlin 1951–1954.

Eckert, Georg (Hrsg.): 1863–1963. Hundert Jahre deutsche Sozialdemokratie, Hannover 1963.

Fetscher, Iring: Wolfgang Harich und sein Programm, in: Deutsche Universitätszeitung, Bd. 7 (1957), S. 4 f.

Finn, Gerhard: Die politischen Häftlinge in der Sowjetzone 1945–1959, Pfaffenhofen 1959.

Finn, Gerhard/Fricke, Karl Wihelm: Politischer Strafvollzug in der DDR, Köln 1981.

Fricke, Karl Wilhelm: Selbstbehauptung und Widerstand in der Sowjetischen Besatzungszone, Bonn 1962.

Fricke, Karl Wilhelm: Warten auf Gerechtigkeit. Kommunistische Säuberungen und Rehabilitierungen. Bericht und Dokumentation, Köln 1971.

Fricke, Karl Wilhelm: Sozialdemokraten und Kommunisten, in: Deutschland-Archiv 6 (1973), S. 912 ff.

Fricke, Karl Wilhelm: Politik und Justiz in der DDR. Zur Geschichte der politischen Verfolgung 1945–1968. Bericht und Dokumentation, Köln 1979.

Fricke, Karl Wilhelm: Buchenwald. NS-Konzentrationslager und sowjetisches Speziallager, in: Informationsdienst Bonn, H. 102, 1980.

Fricke, Karl Wilhelm: Opposition und Widerstand in der DDR. Ein politischer Report, Köln 1984.

Fricke, Karl Wilhelm: Der 17. Juni und die nationale Frage, Köln 1985.

Friedrich-Ebert-Stiftung (Hrsg.): Der 17. Juni 1953. Ursachen, Verlauf, Konsequenzen, Bonn 1983.

Germer, Karl J.: Von Grotewohl bis Brandt. Ein dokumentarischer Bericht über die SPD in den ersten Nachkriegsjahren, Landshut 1974.

Gniffke, Erich W.: Jahre mit Ulbricht, Köln 1966.

Grabe, Kurt: Vier Stationen in Rot, St. Michael 1982.

Grebing, Helga: Der Revisionismus. Von Bernstein bis zum „Prager Frühling", München 1977.

Grotewohl, Otto: Der neue Kurs und die Aufgaben der Partei, (Ost-)Berlin 1953.

Heym, Stefan: Fünf Tage im Juni, München/Gütersloh/Wien 1974.

Hurwitz, Harold: Demokratie und Antikommunismus in Berlin, Bd. III, Berlin 1983.

Hurwitz, Harold: Zwangsvereinigung und Widerstand der Sozialdemokraten in der Sowjetischen Besatzungszone und Berlin, Köln 1990.

Iwanow, Sergej: Die sozialistischen Parteien, (Ost-)Berlin 1947.

Jahrbuch der SPD 1956/57, Bonn 1957.

Janka, Walter: Schwierigkeiten mit der Wahrheit, Reinbek 1989.

Kaden, Albrecht: Einheit oder Freiheit. Die Wiedergründung der SPD 1945/46, Hannover 1964.

Kleßmann, Christoph: Die doppelte Staatsgründung. Deutsche Geschichte 1945–1955, Bonn 1986.

Klotzbach, Kurt: Der Weg zur Staatspartei. Programmatik, praktische Politik und Organisation der deutschen Sozialdemokratie 1945 bis 1965, Berlin/Bonn 1982.

Koch, Manfred u. a.: Versuch und Scheitern gesamtdeutscher Parteibildungen, Mannheim 1982.

Kühne, Heinz: Kuriere, Spitzel, Spione. (Ost-)Berlin 1949.

Kurt-Schumacher-Gesellschaft (Hrsg.): Den Delegierten und Gästen des SPD-Parteitages in Leipzig, Bonn 1990.

Lohrenz, Wilhelm: Hinter den Kulissen der SPD-Führung. Tatsachenbericht über die Spionagetätigkeit des SPD-Vorstandes, (Ost-)Berlin 1948.

Lübbe, Peter: Kommunismus und Sozialdemokratie. Eine Streitschrift, Berlin/Bonn 1978.

May, James P./Paterson, William E.: Die Deutschlandkonzeption der britischen Labour-Party

1945–1949, in: Scharf, Claus/Schröder, Hans-Jürgen (Hrsg.): Politische und ökonomische Stabilisierung Westdeutschlands 1945–1949, Wiesbaden 1977.

Merz, Kai Uwe: Kalter Krieg als antikommunistischer Widerstand. Die Kampfgruppe gegen Unmenschlichkeit 1948–1959, München 1987.

Moraw, Frank: Die Parole der Einheit und die Sozialdemokratie. Zur parteiorganisatorischen und gesellschaftspolitischen Orientierung der SPD in der Periode der Illegalität und in der ersten Phase der Nachkriegszeit 1933–1948, Bonn 1973.

Müller, Werner: Sozialdemokratie und Einheitspartei. Eine Fallstudie zur Nachkriegsentwicklung in Leipzig (unveröff. Manuskript, Mannheim 1988).

Nolte, Ernst: Deutschland und der Kalte Krieg, München/Zürich 1974.

Osterroth, Franz/Schuster, Dieter: Chronik der deutschen Sozialdemokratie, 3 Bde., Berlin/Bonn 1975–1978.

Overesch, Manfred: Die Deutschen und die Deutsche Frage 1945–1955, Hannover 1985.

Pirker, Theo: Die Moskauer Schauprozesse 1936–1938, München 1963.

Pirker, Theo: Die SPD nach Hitler. Die Geschichte der Sozialdemokratischen Partei Deutschlands 1945–1964, München 1965.

Protokoll der 1. Parteikonferenz der SED, (Ost-)Berlin 1949.

Protokolle der Verhandlungen des 4. Parteitages der SED, (Ost-)Berlin 1954.

Protokoll der Verhandlungen des 5. Parteitages der SED, 2 Bde., (Ost-)Berlin 1959.

Rexin, Manfred: Die Jahre 1945–1949, in: Lilge, Herbert (Hrsg.), Deutschland 1945–1963, Hannover 1980.

RIAS (Hrsg.): Der Aufstand der Arbeiterschaft im Ostsektor von Berlin und in der SBZ Deutschlands, Berlin 1953.

Richter, Michael: Die Geschichte der CDU der SBZ/DDR von 1948–1962, Dissertation der Philosophischen Fakultät der Universität Bonn, 1982.

Ritzel, Hans Gerd: Kurt Schumacher in Selbstzeugnissen und Bilddokumenten, Reinbek 1972.

Röder, Werner: Die deutschen sozialistischen Exilgruppen in Großbritannien 1940–1945, Bonn [2]1973.

Rüss, Gisela: Anatomie einer politischen Verwaltung. Das Bundesministerium für Gesamtdeutsche Fragen. Innerdeutsche Beziehungen 1949–1970, München 1973.

Scholz, Arno: Kurt Schumacher, Leben und Leistung, 2 Bde., Berlin 1953.

Scholz, Arno: Turmwächter der Demokratie, Berlin 1954.

Kurt Schumacher, Erich Ollenhauer, Willy Brandt. Der Auftrag des demokratischen Sozialismus, Bonn-Bad Godesberg 1972.

Schwarz, Hans-Peter: Die Ära Adenauer. Gründerjahre der Republik 1949–1957, Stuttgart/Wiesbaden 1981.

Schwarz, Hans-Peter: Vom Reich zur Bundesrepublik, Stuttgart [2]1980.

SPD-Landesverband Groß-Berlin: Jahresbericht 1946/47, Berlin 1947.

SPD-Unterbezirk Hannover-Land: Die „Reichskonferenz" von Wennigsen 5.–7. Oktober 1945, 45 Jahre danach, o. O. 1990.

Spittmann, Ilse: Der 17. Juni im Wandel der Legenden, in: Mut zur Einheit. Festschrift für Johann Baptist Gradl zum 80. Geburtstag am 25. März 1984, Köln 1984.

Spittmann, Ilse/Fricke, Karl Wilhelm (Hrsg.): 17. Juni 1953. Arbeiteraufstand in der DDR, Köln 1982.

Die staatsfeindliche Tätigkeit der Harich-Gruppe, in: Neue Justiz 11 (1957), S. 166.

Stern, Carola: Porträt einer bolschewistischen Partei. Entwicklung, Funktion und Situation der SED, Köln 1987.

Stößel, Frank Thomas: Positionen und Strömungen in der KPD/SED 1945–1954, Köln 1985.

Teller, Hans: Der Kalte Krieg des BRD-Imperialismus gegen die Deutsche Demokratische Republik in den Jahren 1952/53, in: Jahrbuch für Geschichte 16 (1977).

Teller, Hans: Der Kalte Krieg gegen die DDR. Von seinen Anfängen bis 1961, (Ost-)Berlin 1979.

Thape, Ernst: Von Rot zu Schwarz-Rot-Gold. Lebensweg eines Sozialdemokraten, Hannover 1969.

Thies, Jochen: Britische Militärverwaltung in Deutschland, in: Schröder, Hans-Jürgen: Die Deutschlandpolitik Großbritanniens und die britische Zone 1945–1949, Wiesbaden 1979.

Thomas, Stephan: Kurt Schumacher, in: Casdorff, Claus-Hinrich (Hrsg.): Demokraten. Profile unserer Republik, Königstein 1983, S. 252 ff.

Verschwörung gegen die Freiheit. Wie die SED entstand (Schriftenreihe der Jungsozialisten Nr. 1), Bonn 1966.

Vorstand der SPD (Hrsg.): 100 Jahre Sozialdemokratie, Bonn 1962.

Vorstand der SPD: Terror in der Ostzone, Hannover 1948.

Vorstand der SPD: 1848–1976. Für Freiheit, Gerechtigkeit und Solidarität. Sozialdemokraten in Deutschland, Bonn/Köln 1976.

Walde, Thomas: ND-Report. Die Rolle der geheimen Nachrichtendienste im Regierungssystem der Bundesrepublik Deutschland, München 1971.

Weber, Hermann: Geschichte der DDR, München 1985.

Abkürzungen

ADN	Allgemeiner Deutscher Nachrichtendienst
AdsD	Archiv der sozialen Demokratie
AFI	Amt für Information
ARD	Arbeitsgemeinschaft der Rundfunkanstalten in Deutschland
AW/AWO	Arbeiterwohlfahrt
BBC	British Broadcasting Corporation
BDJ	Bund Deutscher Jugend
BfV	Bundesamt für Verfassungsschutz
BGB	Bürgerliches Gesetzbuch
BGH	Bundesgerichtshof
BGL	Betriebsgewerkschaftsleitung
BHE	Block der Heimatvertriebenen und Entrechteten
BMG	Bundesministerium für Gesamtdeutsche Fragen
BND	Bundesnachrichtendienst
BPO	Betriebsparteiorganisation
BVG	Berliner Verkehrsbetriebe
BZ	Berliner Zeitung
CDU/CDUD	Christlich Demokratische Union (Deutschlands)
CIA/CIC	US-Geheimdienst
CSR	Tschechoslowakische Republik
CSSR	Tschechoslowakische Sozialistische Republik
DAF	Deutsche Arbeitsfront
DAZ	Die andere Zeitung
DC	Document Center, Berlin
DDR	Deutsche Demokratische Republik
DFD	Demokratischer Frauenbund Deutschlands
DGB	Deutscher Gewerkschaftsbund
DIAS	Drahtfunk im amerikanischen Sektor Berlins
DIHT	Deutscher Industrie- und Handelstag
DIZ	Deutsches Institut für Zeitgeschichte
DKP	Deutsche Kommunistische Partei
DLF	Deutschlandfunk
DRK	Deutsches Rotes Kreuz
FAZ	Frankfurter Allgemeine Zeitung
FDGB	Freier Deutscher Gewerkschaftsbund
FDJ	Freie Deutsche Jugend
FDP	Freie Demokratische Partei
FJW	Freie Junge Welt, Ostbüro-Zeitung

FNA	Franz-Neumann-Archiv
FSS	Field Security Service (brit. Geheimdienst)
GDB	Gesamtdeutscher Block, Listenbündnispartner des BHE
HJ	Hitlerjugend
HO	Handels-Organisation
IRC	International Red Cross
ISK	Internationaler Sozialistischer Kampfbund
IWE	Informationsbüro West
JfG	Jahrbuch für Geschichte
JP	Junge Pioniere
JW	Junge Welt, DDR-Jugendzeitung der FDJ
KD	Kontrollratsdirektive
KgU	Kampfgruppe gegen Unmenschlichkeit
KP/KPD	Kommunistische Partei (Deutschlands)
KPdSU	Kommunistische Partei der Sowjetunion
KPJ	Kommunistische Partei Jugoslawiens
KPO	Kommunistische Partei-Opposition
KZ	Konzentrationslager
LDPD/LDP	Liberaldemokratische Partei Deutschlands
LfV	Landesamt für Verfassungsschutz
LKA	Landeskriminalamt
LPG	Landwirtschaftliche Produktionsgenossenschaft
LV	Landesverband
MAD	Militärischer Abschirmdienst
MdB	Mitglied des Bundestages
MdR	Mitglied des Reichstages
MfS	Ministerium für Staatssicherheit
MWD/NKWD	Sowjetischer Geheimdienst
NATO	Nordatlantisches Verteidigungsbündnis
ND	Neues Deutschland
NDPD	Nationaldemokratische Partei Deutschlands
NGO	Nur-Gewerkschafts-Opposition
NJ	Neue Justiz
NS	Nationalsozialistisch
NSDAP	Nationalsozialistische Arbeiterpartei Deutschlands
NSV	Nationalsozialistische Volkswohlfahrt
NW	Neue Welt, DDR-Zeitschrift
NWDR	Nordwestdeutscher Rundfunk
NYT	New York Times
OG	Organisation Gehlen
OSS	Office of Strategic Service
PATh	Privatarchiv Irene Thomas
PPP	Parlamentarisch-Politischer Pressedienst
PRO	Public Record Office, London
ProMi	Propagandaministerium
PV	Parteivorstand der SPD
PVAP	Polnische Vereinigte Arbeiterpartei

RGO	Revolutionäre Gewerkschafts-Opposition
RIAS	Rundfunk im amerikanischen Sektor Berlins
RM	Reichsmark
SAP	Sozialistische Arbeiterpartei
SBZ	Sowjetische Besatzungszone
SED	Sozialistische Einheitspartei Deutschlands
SEP	SPD-Bezeichnung für die SED
SFB	Sender Freies Berlin
SJD	Sozialistische Jugend Deutschlands, „Die Falken"
SMA/SMAD	Sowjetische Militäradministration (in Deutschland)
SNB	Sowjetisches Nachrichtenbüro
SOPADE	Sozialdemokratische Partei Deutschlands im Exil
SPD	Sozialdemokratische Partei Deutschlands
SS	Schutzstaffel
SSD	Staatssicherheitsdienst der DDR
UAP	Unabhängige Arbeiterpartei
UdSSR	Sowjetunion
UKW	Ultrakurzwelle
US/USA	Vereinigte Staaten (von Amerika)
VEB	Volkseigener Betrieb
V-Leute	Vertrauensleute
VOS	Vereinigung der Opfer des Stalinismus
VP	Volkspolizei
VVN	Vereinigung der Verfolgten des Naziregimes
WDR	Westdeutscher Rundfunk
ZA	Zentralausschuß der SPD in Berlin
ZDF	Zweites Deutsches Fernsehen
ZK	Zentralkomitee
ZPO	Zentralverband politischer Ostflüchtlinge

Personenregister

Schriftenreihe der Vierteljahrshefte für Zeitgeschichte

Herausgegeben von Karl Dietrich Bracher und Hans-Peter Schwarz

Band 52
Norbert Frei
Amerikanische Lizenzpolitik und deutsche Pressetradition
Die Geschichte der Nachkriegszeitung Südost-Kurier
1986. 204 Seiten.

Band 53
Werner Bührer
Ruhrstahl und Europa
Die Wirtschaftsvereinigung Eisen- und Stahlindustrie und die Anfänge der europäischen Integration 1945-1952
1986. 236 Seiten.

Band 54
Das Tagebuch der Hertha Nathorff
Herausgegeben von Wolfgang Benz.
(Vergriffen.)

Band 55
Anfangsjahre der Bundesrepublik Deutschland
Berichte der Schweizer Gesandtschaft in Bonn 1949-1955.
Herausgegeben von Manfred Todt.
1987. 187 Seiten.

Band 56
Nikolaus Meyer-Landrut
Frankreich und die deutsche Einheit
Die Haltung der französischen Regierung und Öffentlichkeit zu den Stalin-Noten 1952.
1988. 162 Seiten.

Band 57
Italien und die Großmächte 1943-1949
Herausgegeben von Hans Woller.
1988. 249 Seiten.

Band 58
Helga A. Welsh
Revolutionärer Wandel auf Befehl?
Entnazifizierungs- und Personalpolitik in Thüringen und Sachsen (1945-1948)
1989. 214 Seiten.

Band 59
Die Deutschnationalen und die Zerstörung der Weimarer Republik
Aus dem Tagebuch von Reinhold Quaatz 1928-1933
Herausgegeben von Hermann Weiß und Paul Hoser.
1989. 264 Seiten.

Band 60
Andreas Wilkens
Der unstete Nachbar
Frankreich, die deutsche Ostpolitik und die Berliner Vier-Mächte-Verhandlungen 1969-1974.
1990. 213 Seiten.

Band 61
Zäsuren nach 1945
Essays zur Periodisierung der deutschen Nachkriegsgeschichte.
Herausgegeben von Martin Broszat.
1990. 183 Seiten.
ISBN 3-486-64561-7

Band 62
Elisabeth Chowaniec
Der "Fall Dohnanyi" 1943-1945
Widerstand, Militärjustiz, SS-Willkür
1991. 228 Seiten.

Oldenbourg

Deutsche Nachkriegsgeschichte

Zäsuren nach 1945

Essays zur Periodisierung der deutschen Nachkriegsgeschichte. Herausgegeben von Martin Broszat.

1990. 183 Seiten,
DM 28,-
ISBN 3-486-64561-7
Schriftenreihe der
Vierteljahrshefte für
Zeitgeschichte, Band 61

Die Beschäftigung mit den historischen Zäsuren in der deutschen Nachkriegsgeschichte ist nicht nur eine Frage der Periodisierung. Dahinter verbirgt sich auch eine substantielle Bewertung, etwa der Modernisierungsschübe und qualitativen Veränderungen der Lebensverhältnisse, die hier von verschiedenen Gesichtspunkten aus dargelegt wird.

Inhalt

Oldenbourg